# Dorothee Elmiger

# Aus der Zuckerfabrik

Carl Hanser Verlag

Die Autorin dankt dem Literarischen Colloquium Berlin
für die Unterstützung der Arbeit an diesem Buch.

5. Auflage 2020

ISBN 978-3-446-26750-3
© 2020 Carl Hanser Verlag GmbH & Co. KG, München
Motto: Auszug aus dem Gedicht *Question* von May Swenson;
© May Swenson 1954, 1994. From *Collected Poems*
(Library of America, 2013). Used with permission of
The Literary Estate of May Swenson. All rights reserved.
Umschlag: Peter-Andreas Hassiepen, München
Satz: Greiner & Reichel, Köln
Druck und Bindung: Friedrich Pustet, Regensburg
Printed in Germany

MIX
Papier aus verantwor-
tungsvollen Quellen
FSC
www.fsc.org    FSC® C014889

Body my house
my horse my hound
what will I do
when you are fallen

Where will I sleep
How will I ride
What will I hunt

**May Swenson:** *Question*

Wo ist Zucker, ich find's nicht
Zucker!

**Wolfram Lotz:** *Heilige Schrift I*

– So ungefähr: Ich gehe durchs Gestrüpp. Es tschilpen auch einige Vögel.

– Und dann?

– Weiter nichts, es geht einfach immer weiter so.

– Es gefällt dir aber, dieses Gestrüpp.

– Was soll ich dazu sagen?

– Ob es dir gefällt, das Gestrüpp, das kannst du doch sagen; was du dir davon erhoffst, was da für dich drinsteckt.

– Aber ich selbst stecke ja mittendrin, du hast offenbar überhaupt gar keine Vorstellung davon, wie das da ist.

– Ich stelle es mir sehr unordentlich vor, also ohne Ordnung und Übersicht. Und schön, weil fast alles darin vorkommen kann und weil das Licht je nach Tageszeit einmal hierhin und einmal dorthin fällt, und manchmal liegt Schnee, und ärgerlich ist es auch, weil man ständig hängenbleibt an den Ästen der Sträucher, vor allem, wenn sie Dornen haben und weil du ja so gerne diese Samthose trägst.

– Na gut.

– Also gehst du dann herum in diesem Gestrüpp oder was machst du da?

– Nichts, gar nichts. Gut, ich gehe vielleicht einige Schritte, und dann bleibe ich manchmal stehen und rauche eine Zigarette.

– Und die Vögel?

– Ja, die gefallen mir schon.

# Plaisir

Immer scheint jetzt schon die Sonne, wenn ich aufwache.

Im Fernsehen ein Dokumentarfilm über eine Ananasfarm in der Nähe von Santo Domingo. Weiter, weiß bewölkter Himmel. In den Feldern werfen sich die haitianischen Arbeiter die reifen Früchte zu.

Dann tritt der *Ananaskönig* ins Bild, er steht auf dem Acker und redet in die Kamera. Bevor er die 180 Hektar in den Achtzigerjahren kaufte, war er Gemüsebauer im Zürcher Unterland.

Die Sembradores setzen die Setzlinge im Akkord in die Erde.

Der *Ananaskönig* misst für das Fernsehen den Zuckergehalt seiner Früchte.

Später zahlt er die Löhne aus.

Auf dem T-Shirt eines Arbeiters: MY SKILLS NEVER END

—

Ein zweiter Film: Der Schnapsbrenner Karl Feierabend aus Rotkreuz, der in die Tropen auswanderte, um Großbauer zu werden, treibt auf seinem Pferd vier Gänse vor sich her durch die grüne Landschaft. Gräser, Wiesen, Palmgewächse. Der Himmel ganz farblos.

—

Nachricht aus Frankreich: Ich soll im Winter an einer Schule in einem Pariser Vorort über meine Arbeit sprechen. Die Schulleiterin, teilt man mir mit, wolle mich mit dem Auto im Quartier Latin abholen und nach Plaisir fahren, wo sich das Collège Guillaume Apollinaire befindet, und anschließend auch wieder zum Hotel zurückbringen.

—

Die behelfsmäßigen Erklärungen, wenn jemand fragt, woran ich arbeite.
   Der philadelphische Parkplatz (NEW WORLD PLAZA)
   Das Begehren
   Zucker, LOTTO, *Übersee*

Annette beim Abendessen: Sie habe vor zwei Jahren den Roman eines australischen Schriftstellers gelesen, in dem eine lange Reihe von plötzlich aufscheinenden Bildern beschrieben werde, Bilder, die sich gegenseitig hervorriefen, also in einer zumindest losen Verbindung stünden und so eine Art Pfad bildeten, einen leuchtenden Pfad, der durch die Dinge hindurchführe.

Wenn ich meine Hefte und Kopien durchblättere, die Abbildungen, Schemata und Fotografien, wenn ich die im Verlauf der vergangenen Monate erstellten Dateien öffne, sehe ich keinen Pfad, keine sich an den Rändern überlagernden, aufeinander hinweisenden Bilder, Illuminationen, sondern einen Platz, einen Punkt, von dem ich vor vier oder fünf Jahren ausgegangen bin; seither habe ich alles, was mir in die Hände fiel, alles, was ich so sah, das in einem Zusammenhang mit diesem ersten Ort zu stehen schien, dorthin zurückgetragen und vorläufig abgestellt auf diesem weitläufigen Platz.

So auch die Eiben aus dem Schlosspark von Plaisir, die wie Zuckerstöcke geschnitten sind. Das Einkaufszentrum im Norden der Stadt (GRAND PLAISIR), la mosquée de Plaisir.

Es gibt an diesem Ort keine feststehende Ordnung: Mit jedem Gang durch das Chaos, über die Ananasfelder von Monte Plata, durch die Pariser Vorstädte oder den längst verlassenen Garten eines Sanatoriums, über die sizilianischen Berge, vorbei an den Russischen Bädern von Philadelphia zu den Ufern des Swan River in Australien, scheinen die Dinge in neue Verhältnisse zueinander zu treten.

—

Durch die Landschaften, diese versuchsweise Anordnung der Dinge, diesen *essai* hindurch kehre ich immer wieder zurück zu jener einen Szene, in der sich mir damals, als ich sie zum ersten Mal sah, etwas zu zeigen schien, das ich nicht

formulieren, sondern höchstens wiederfinden konnte
in Verhältnissen von ähnlicher, von analoger Struktur,
als Verwandtschaften, Wiederholungen, Parallelen.

1986: Die Männer, die dicht gedrängt im niedrigen Saal
eines Gasthauses in Spiez, am südlichen Ufer des Thunersees, stehen, zwischen ihnen die Söhne, Jungen von zwölf,
dreizehn Jahren vielleicht, und einige Frauen, Ehefrauen,
Mütter. Das warme Licht, das die versammelte Bevölkerung
des Ortes, die sich bis in den Flur hinaus drängt, beleuchtet.
Jener schließlich, dem sich alle zuwenden in diesem Augenblick, als handelte es sich um den Prediger einer vulgären
Messe: In seinen Händen zwei Figuren, die er über die Köpfe
der Anwesenden streckt, zwei Frauenfiguren aus Holz oder
aus blank poliertem, schwarzem Stein, dreißig Zentimeter
hoch vielleicht. Die im Licht glänzenden Körper sind bis
auf ein lose um die Hüfte, den Kopf gewundenes Tuch, bis
auf eine goldene Halskette unbekleidet. Sie knien, scheinbar
selbstvergessen. Dann erhebt der Versteigerer die Stimme:
*Wer macht ein Angebot Ich bitte um Ruhe Zwanzig Zwanzig*
*Franken Mehr Angebote Ein Fünfliber Fünfundzwanzig*
*Fünfundzwanzig Weitere Angebote Schaut nur diese Brüste*
*an Fünfunddreißig Wer geht noch ein bisschen höher Fünf-*
*unddreißig Fränkli sind geboten Fünfunddreißig Franken zum*
*ersten Fünfunddreißig zum zweiten und zum dritten Mal*
*Dann sind diese alten N---- auch weg da*

Je öfter ich zurückkehre in diesen Saal, den ich nur aus einem
in den Achtzigerjahren gedrehten Dokumentarfilm kenne,
desto deutlicher steht es mir vor Augen, dass mein Verlangen,

diesen Ort immer wieder aufzusuchen, nichts damit zu tun hat, dass sich mir dort etwas in besonderer Klarheit zeigen würde. Im Gegenteil vermute ich mittlerweile, dass diese wiederkehrenden Besuche, meine neurotischen Pilgerfahrten ihren Grund in der Tatsache haben, dass es sich um eine gewissermaßen *unlösbare* Szene handelt, um eine wenige Augenblicke dauernde Konvergenz verschiedenster Stränge der Geschichte – so als kollidierten unterschiedliche Gesteinsobjekte, Himmelskörper, die sich zuvor lange Zeit scheinbar losgelöst voneinander um die Sonne bewegten, und als sorgte ihr Aufprall für eine sekundenlange Erleuchtung der Dinge, des Gerölls und des Staubs.

—

Eine Strophe aus John Berrymans *Dream Song 311*: »Hunger was constitutional with him, / women, cigarettes, liquor, need need need / until he went to pieces. / The pieces sat up & wrote. They did not heed / their piecedom but kept very quietly on / among the chaos.«

Was ich da tue, wenn ich mich aufhalte mit dieser seltsamen Ansiedelung, diesen geografischen Flicken und den mit ihnen verbundenen Zeugnissen, Artefakten und Phantasmen, scheint etwas zu tun zu haben mit diesem *Hunger als Verfassung,* mit dem »Drang«, wie es bei Ortega y Gasset heißt, »aus sich herauszugehen«, der allem Orgiastischen zugrunde liege (»Trunkenheit, Mystik, Verliebtheit usw.«): Vielleicht wäre es richtig zu sagen, dieser Hunger sei der eigentliche Gegenstand meiner Forschung, der Platz, auf

dem der haitianische Arbeiter (MY SKILLS NEVER END)
im Schatten der Bäume im Schlosspark von Plaisir schläft
usw., und zur gleichen Zeit der Grund meiner Recherche, die
Triebfeder dieser kleinen Produktion.

—

Mit dem letzten Zug zwischen den Bergen des Oberwallis hindurch nach Hause gefahren. Die noch immer schneebedeckten
Flanken hell in der Nacht, darüber die dunklen, hohen Gipfel
vor dem tiefblauen Himmel. Spiez, Thun, Bern. Unterwegs
eingeschlafen, geträumt, ich hätte einen Band mit dem Titel
»Das lyrische Maß der Maßlosigkeit« herausgegeben.

—

Wieder Chantal Akermans »J'ai faim, j'ai froid« (1984)
angesehen. *Éducation sentimentale* der jungen Frau
in zehn Minuten. Die schönen Haarschnitte der zwei
Siebzehnjährigen. Hungrig gehen sie durch die französische
Hauptstadt, ihr Appetit ist unermesslich und umfasst alles,
denke ich, Dinge und Menschen und Landschaften.

Ihr Blick in die Auslagen der Imbisse und Geschäfte, durch
die Fenster ins Innere der beleuchteten Speiselokale. Sie sind
nicht hungrig, weil sie lange nichts gegessen haben, sondern
weil ihnen das Essen ein so wahnsinniges Vergnügen bereitet.

– *J'ai faim.*
– *Viens.*

*– Combien il reste d'argent?*

*– Rien.*

*– Bon, c'est maintenant que la vie commence.*

*– Qu'est-ce qu'on fait?*

*– On cherche du travail.*

*– Bon. Où c'est qu'on va?*

*– Je ne sais pas.*

*– Qu'est-ce que tu sais faire, toi?*

*– Je sais coudre, écrire, compter, lire, chanter.*

*– Moi aussi, mais j'aime pas coudre, écrire, compter, lire. J'aime que chanter.*

*– Moi, je chante faux et je crie quand je chante.*

*– Moi, j'aime crier, je chante juste.*

*– On va chanter alors.*

Wie die zwei danach ein Restaurant betreten und zu singen beginnen, ohne richtig zu wissen, wie die Melodie verlaufen wird; wie sie mit weit offenen Mündern zwischen den Tischen stehen, linkisch und deplatziert und schön. Und wie schmal ihre Hälse sind.

So etwas versuche ich ja hier auch, so habe ich es mir zumindest immer vorgestellt.

Eine der letzten Szenen: Während eine der beiden mit einem Mann im Bett liegt

(»J'ai envie de t'aimer.« »Aime-moi, alors.«),

schlägt die andere in seiner Küche Eier am Pfannenrand auf.

—

16

C., als wir gerade an der Saalsporthalle vorbeigehen: Er verspüre selten Hunger, das Hungergefühl sei ihm eigentlich schon immer ganz fremd gewesen.

Wie er so blass und groß in seinem Mantel über die weiten Wiesen des ehemaligen Waffenplatzes geht, als entstammte er einem verarmten Adelsgeschlecht.

In meinem Fall hingegen heißt jeder Satz, den ich zurzeit schreibe, immer auch:
    J'ai faim./Aime-moi, alors.

Aber alle meine Darreichungen lehnt der Appetitlose seit vielen Wochen höflich ab,
    auch die Früchte, die ich immer sorgfältig mit einem Taschentuch poliere, bevor ich sie ihm offeriere.

Wir gehen durchs offene Gelände, goldene Felder, Tümpel, irgendwann überqueren wir die Autobahn, weit unter uns die kleinen Fahrzeuge, die über die Fahrbahn in den Feierabend hinausschießen.

—

In der Post ein Buch von S., eine Sammlung von »Biographien der Wahnsinnigen« aus dem späten 18. Jahrhundert. Er habe sich gedacht, schreibt er, die Texte könnten womöglich interessant für mich sein.

Das Hospital der Wahnsinnigen zu P.

Der liebeswahnsinnige Jakob W***r, der meint, eine gläserne Brust zu haben und also ein Herz, das jede und jeder einsehen kann.

Die junge Frau zu B., die, von einem Mann, einem großen, »gleich einer Pappel am wasserreichen Flusse« gewachsenen Mann verlassen, immer wieder in die Kronen der Bäume steigt.

Als sie vom Dach des elterlichen Hauses stürzt und stirbt, als die Bevölkerung dem Sarg durch die Straßen der Stadt nachfolgt, deklamiert der Priester: Er hat mich verlassen, aber der Herr nahm mich auf!

—

Gegen zwei Uhr morgens quer über die Wiesen des Parks nach Hause, die trockenen Halme brechen knisternd unter den Schuhen.

—

Ich kenne, schreibe ich an C., ich kenne ein fremdes, ein tropisches Gebiet, Rebhühner wandern dort durch das schattige Gehölz, rotäugige Schildkröten liegen regungslos im stehenden Gewässer, silberne Täubchen nisten dort in den Kronen hoher Bäume, und während ich schreibe, fängt draußen schon das allgemeine Zwitschern der Vögel an.

—

Traum: Nach Mitternacht wache ich auf und steige die Treppe hinunter. Ich weiß, dass ich mich im Haus meiner Eltern befinde. Schon im Flur sehe ich, dass noch Licht brennt in der Küche, was mich nicht überrascht, denn meine Mutter, eine Grundschullehrerin, hat viele Nächte meiner Kindheit über den Küchentisch gebeugt zugebracht, zu ihrer Rechten die bereits durchgesehenen, zu ihrer Linken der Stapel der noch unkorrigierten Hefte, und auch in meiner Jugend saß sie oft noch dort, unter der tief hängenden Lampe, und arbeitete, wenn ich abends mit dem letzten Zug nach Hause kam.

Als ich mich nun der Küche nähere, sehe ich, dass meine Mutter keinen Stift, sondern eine Spindel in der Hand hält, eine Spindel, die ich, so meine ich mich augenblicklich zu erinnern, wenige Wochen vor dem Tod meiner Großmutter, der Mutter meiner Mutter, noch im Obergeschoss ihres Hauses zwischen überwinternden Pflanzen, alten Puppen und Dürrenmatts »Panne« herumliegen gesehen hatte. Ich musste bei meinen Besuchen im Laufe der Jahre unzählige Male daran vorbeigegangen sein, hatte ihr aber nie viel Aufmerksamkeit geschenkt: Seit langer Zeit schien sie keine Verwendung mehr gefunden zu haben.

Kurz bevor mich das Licht erfasst, das durch die Küchentür in den Flur fällt, bleibe ich stehen. Ich trage ein weißes T-Shirt mit der Aufschrift »International Institute for Sport«, das mir fast bis zu den Knien reicht. Ich bin ungefähr elf Jahre alt.

Meine Mutter, die ihre ganze Aufmerksamkeit dieser Spindel zu schenken scheint, hat mich bisher nicht bemerkt. Ich schaue ihr zu dabei, wie sie mit außerordentlicher

Geschwindigkeit geschickt mit dem Gerät umgeht. Als wäre ein unbekannter Geist in sie gefahren oder als wäre ihr ein lange vergessenes Wissen wieder zugefallen, hantiert sie mit der Spindel, und während sie dies tut, verändert sich ihr Gesicht; neue Züge legen sich über die alten oder es sind frühere Züge, die wieder hervortreten unter der mir vertrauten Gestalt ihres Gesichts.

Noch immer stehe ich im Dunkeln, und es ist mir peinlich, diese Verwandlung, diese Zustände meiner Mutter, deren Bedeutung ich nicht kenne, mit anzusehen. Ich betrete die Küche und reiße meiner Mutter das Ding aus der Hand, und in diesem Moment passiert es, dass ich mich damit steche; ich ramme mir die Spitze dieser dummen Spindel tief unter die Haut des linken Zeigefingers, Blut tropft auf mein T-Shirt, und ich denke noch, oh nein, nicht die linke Hand, da ich doch Linkshänderin bin.

Die Hand vor mir hertragend, als gehörte sie nicht zu mir, steige ich die Treppe wieder hoch und lege mich in mein Kinderbett. Wochen und Monate, dann Jahre verbringe ich in einem Zustand der Lethargie. Oft rühre ich mich kaum im Laufe eines Tages. Ab und zu gehe ich die Treppe hinunter und lasse mir in der Küche einige Handvoll Kellogg's Cornflakes in den Mund rieseln, dann lege ich mich wieder hin.

Als meine Mutter ins Kino fährt, um »Independence Day« zu schauen, und dann ein zweites Mal, um den Film noch einmal zu sehen, fahre ich mit und sehe mit meinen eigenen, adoleszenten Augen, wie sich die großen außerirdischen Scheiben vom Mutterschiff entkoppeln und langsam vor die Sonne schieben.

# Bellevue

Ich betrete den Platz, auf dem die Dinge vorläufig lagern, diesen hypothetischen Speicher, so wie ich manchmal die italienischen Kirchen und Kapellen um die Mittagszeit betreten habe, um der Hitze zu entkommen: Kurze Visiten, ein rascher Gang durch die opulenten, im Halbdunkel liegenden Seitenschiffe, von dem niemand Notiz zu nehmen schien.

Fahre mit den Händen über die Oberflächen, berühre alles, was da ist.

Zu Laura in der Kantine: In Wahrheit würde ich zurzeit nur dasitzen und lesen.

—

In Marie Luise Kaschnitz' letzten, mit »Orte« überschriebenen Aufzeichnungen die Beschreibung ihrer selbst, wie sie einmal tanzte mit den Patienten einer »vornehmen Irrenanstalt«, deren Namen sie nicht nennt; dann die Erinnerung an ein Kind, den Sohn des Anstaltsleiters, der sich im nächtlichen Garten des Sanatoriums »mit zwei brennenden Kerzen einem starken dicken Baum näherte und diese Flämmchen an die Rinde hielt, überzeugt davon, daß es ihm gelingen wird, den mächtigen Baum aufflammen zu lassen«. In derselben Nacht Feuerwerk, das in die Luft steigt: »Lichtgewächs«, schreibt Kaschnitz, Heiterkeit, in den Fenstern die klatschenden Patienten.

Seit Tagen habe ich nun diesen Jungen vor Augen, der sich schlafwandlerisch, geisterhaft fast, durch den dunklen Garten bewegt, flackernde Kerzen in den Händen; hin und wieder beleuchten die über ihm explodierenden Feuerwerkskörper die Szenerie und sein Gesicht. Als folgte er einer Eingebung, einer an ihn allein gerichteten Aufforderung, sucht er den Baum auf und versucht, ihn anzuzünden, ihn aufflammen zu lassen, ihn zu verwandeln in ein leuchtendes Zeichen im Garten des Sanatoriums.

Die sekundenlange Beleuchtung im Text als Markierung einer Stelle. So wie bei Hermann Burger das Glas plötzlich zu zittern beginnt, als er einmal im Speisewagen an Badgastein vorbeifährt: »als wolle sich ein Medium mir mitteilen«.

Er habe gewusst, »dass etwas los war, aber nicht was«.

—

Wie oft ich ja Kaschnitz' Aufzeichnungen zuvor schon an einer beliebigen Stelle aufgeschlagen oder ihren Anfang gelesen habe – die erste Seite, auf der sie, Kaschnitz, schreibt, hier stehe, was ihr eingefallen sei in den letzten Jahren, aber »nicht der Reihe nach«, ungeordnet, und die zweite, deren erste Zeilen ich beinahe auswendig hersagen kann: *Oder Orte, nie gesehene, zum Beispiel Stockholm oder Aden am Roten Meer oder Samarkand* und so weiter,

die Vorstellung von Öltürmen, Ölschiffen, von der großen Hitze in Aden,

*die Fremdenschiffe, die Vergnügungsschiffe, fahren alle vorbei.*

Und nun auf einmal das Sanatorium auf Seite 64, das ich sofort wiedererkenne: Im Winter vor drei oder vier Jahren bin ich ab und zu an dem ausschweifenden Gelände vorbeigefahren, und noch früher, als Kind, hatte ich mit meiner Tante manchmal ganz in der Nähe in einer kleinen, schattigen Bucht gebadet.

—

Mit dieser Stelle, in diesem Garten anzufangen: Als hätte ich lange unentschlossen auf dem Zaun einer Koppel gesessen und hin und her überlegt, wie so ein Pferd, wie diese Tiere, die ja vielleicht fünfhundert oder sechshundert Kilogramm wiegen, geschickt aufzuzäumen seien; mich schlussendlich, verärgert über mein eigenes Zaudern, kurzerhand auf eines der Pferde geworfen, mich festgehalten, so gut es mir eben möglich war.

Die Sache mit dem Zaumzeug als illusorisch verworfen.

—

In Kaschnitz' Aufzeichnung: Zu jenem Sohn, der die Flammen vor den Augen der Patienten auf den Baum zuführt, um ihn brennen zu lassen, tritt ein zweiter hinzu. Er (Robert), der sich kurze Zeit später, so Kaschnitz, vor einen Zug legen wird, ist es, der in dieser Nacht den Feuerträger aufhält.

Ein Bild, das der Maler Ernst Ludwig Kirchner 1917 oder 1918 während seines Aufenthalts in der geschlossenen Abteilung für sechsundzwanzig männliche Kranke anfertigt: »Der Kopf des Studenten Robert Binswanger«. Das Gesicht des Jungen als Holzschnitt: Seitenscheitel, weit aufgerissene Augen.

—

Als Kaschnitz am nächsten Tag über den Anstaltsgrund geht, trifft sie dort auf Vaslav Nijinsky, den russischen Tänzer, von dem man zu Beginn des letzten Jahrhunderts sagt, niemand vollführe Sprünge wie er, der dabei hoch in die Luft aufsteigt und dort einen Augenblick lang stillzustehen scheint oder springend seine Beine fünf Mal überkreuzt.

Nijinsky, der am 19. Januar 1919 im Hotel Suvretta in St. Moritz zum letzten Mal auftritt: Er werde nun den Krieg tanzen, habe er gesagt und tatsächlich so ausgesehen, als tanzte er um sein Leben. Sei dann in den Tagen danach wieder ganz zu seinen Tagebüchern zurückgekehrt.

»Ich werde eine Brücke zwischen Europa und Amerika bauen, die nicht teuer sein wird«, schreibt er.
Und: »Ich habe in einem Aeroplan gesessen und geweint.«

Am 4. März desselben Jahres wird Nijinsky in die »Irren-
heilanstalt Burghölzli« gebracht, später überwiesen in das
Sanatorium am See, wo, wie es bei Joseph Roth heißt, »die
Irrenwärter zärtlich waren wie Hebammen«.

—

*Radetzkymarsch*: Jedes halbe Jahr begibt sich der »an
leichtem, sogenanntem zirkulären Irresein« leidende
Fabrikant Taußig in die Schweizer Anstalt, in der »verwöhnte
Irrsinnige aus reichen Häusern« die zärtliche Behandlung
der Irrenwärter erfahren.

—

Wie ich damals, im Winter, dem Uferweg in der Nähe des
ehemaligen Sanatoriums folgte: Dampfschwaden hingen über
der Wasseroberfläche, die Straßen waren mit einer dünnen,
fast unsichtbaren Schicht Eis überzogen. Abends im Schneegestöber die Rücklichter der Autos, die mit laufendem Motor
am Bahnübergang standen. Ich hörte *Turiya and Ramakrishna* auf meinen Kopfhörern, nachts schaute ich fern.

—

Im dritten Untergeschoss der Zentralbibliothek eine
Kaschnitz-Biografie aus dem Jahr 1992. Dem ersten Teil
(Wälder der Kindheit) sind drei Zeilen vorangestellt:

Und rasch war die Zeit meine Zeit.

Wer von Pferden gezogen zur Welt kam
Verließ sie im Raumschiff.

Ich habe in einem Aeroplan gesessen und geweint.

S. 21: Kaschnitz, als sie noch Marie Luise von Holzing-Berstett
heißt, oder vielmehr EIRAM ESIUL, läutet als Kind nach
dem Kindermädchen Lulu, »das tröstend mit Zuckerwasser
ins Zimmer kommt«.

S. 24: Über *Das dicke Kind* sagt sie zu Horst Bienek, sie sei
selbst auch ein »braves, schläfriges und viel essendes Kind«
gewesen, »aber eben eines mit vielen Ängsten und eines, das
bei jeder Gelegenheit zu heulen anfing«.

Kein Hinweis auf einen Besuch der Gärten des Sanatoriums.

—

Sieben oder acht Jahre vermutlich bevor der Sohn des
Psychiaters, beleuchtet von den Feuerwerken, die sich in
der Luft zu immer neuen, hellen Formationen ausbreiten,
die flackernden Kerzen durch den Garten trägt, wird am
14. Januar 1921 die Patientin, der Binswanger den Namen
»Ellen West« verleihen wird, in die Kuranstalt Bellevue in
Kreuzlingen aufgenommen.

Und in den Fenstern, schreibt Kaschnitz, standen die
Patienten und klatschten.

Und die Irrenwärter waren zärtlich wie Hebammen.

Im Herbst vor ihrer Ankunft am südlichen Ufer des Bodensees, am 21. Oktober 1920, schreibt West in ihr Tagebuch:
»Von Zeit zu Zeit fallen mir neue Indizienbeweise ein: z. B.
Wenn ich in einem leeren Hotelzimmer ankomme, möchte
ich zuerst etwas essen.«

—

Deutschlandreise. Mannheim, Köln, Münster. Blauer Himmel
über Westfalen. Die Bäume vor Recklinghausen sind groß
und stehen dicht an den Gleisen, die Unterseite ihrer Blätter
leuchtet silbern im warmen Oktoberlicht.

In der Nacht zuvor, als ich gegen ein Uhr noch einmal aus
dem Haus gelaufen bin, plötzlich Hunderte von Fleder-
mäusen, die unablässig um die Flutlichter des leeren Letzi-
grund-Stadions kreisen. Immer wieder schießen einzelne
Tiere aus dem Scheinwerferlicht in die Dunkelheit hinaus
und tief über mich hinweg. Ich lege den Kopf in den Nacken,
habe das weiße Fell ihrer Bäuche in aller Deutlichkeit vor
Augen. Vor der Lion Bar ein roter Lamborghini Aventador
mit geöffneten Scherentüren.

Und gleich habe ich diese Tiere, auch das Auto, wieder als
Zeichen genommen, als Hinweis auf C.: Als handelte es sich
um Trägerinnen einer Botschaft, die ich lange Zeit erwartet
hatte (J'ai faim. / Je t'aime.). Obwohl er, C., zu dieser Zeit
ziemlich sicher nichts ahnend auf dem Bett lag und *Persian
Surgery Dervishes* hörte.

Als ich im leeren Hotelzimmer ankomme, bin ich hungrig.
Durch das offene Fenster das Rauschen der Fahrzeuge,
die in zweihundert Metern Entfernung über die deutsche
Bundesautobahn durch das Münsterland und auf die Ost-
see oder auf Leverkusen, das Dreieck Vulkaneifel und den
Saarkohlenwald zurasen.

Die großen Schatten der Pferde, die durch die Parklandschaft
laufen.

Irgendwann, spät, das aufleuchtende Display des Telefons
(*RoamingInfo*).

Frühmorgens irre ich auf der Suche nach dem Ausgang
mit nassem Haar durch die dunklen Flure des Hotels. Das
dringende Verlangen, immer von C. zu sprechen, alle Sätze
insgeheim von C. handeln zu lassen, auch dann z. B., als
die Rezeptionistin mich fragt, ob ich etwas aus der Minibar
genommen habe. Im Bus zum Bahnhof Frauen mit großen
Körben, als gingen sie alle in die Pilze.

—

Als ich ihn, C., zum ersten Mal sah: Wir hielten uns im
Trolleybus an den Stangen über unseren Köpfen fest.

Später einmal, als ich über die Rolltreppen im Letzipark ging.

Wie sich schon damals, in jedem dieser Augenblicke, dieses
schockierende Licht über alles gebreitet hat, jenes Licht, das

die Erscheinung umkleidet, das Licht, dem die blinde Pilgerin sich in einem Pinienwäldchen zusammen mit Tausenden entgegenwirft, ganz außer sich: ein Eklat.

—

Diese blöde Verwandlung der Welt in ein Pinienwäldchen. Das zwar sehr schön ist.

—

Kaffee mit Erika, meiner Nachbarin aus dem zweiten Stock. Sie hat früher in der Kantine auf dem Gelände der Zahnradfabrik Maag gearbeitet, die dann in den Neunzigerjahren geschlossen wurde.

Während wir sprechen, marschiere ich schon wieder heimlich davon, auf direktem Weg in den erwähnten Wald hinein.

Erika mit ihren schönen kleinen Kreolen, die von weitem noch zwischen den Baumstämmen hindurchfunkeln.

Alle Vögel sind schon da.

—

Und alles glänzt und strahlt und ist ein einziges großes Versprechen:

Ich lagere auf Betten aus Moos, mit aufgesperrten Augen betrachte ich alles: Er (C.) liegt in allen Dingen, und deshalb liebe ich alle Dinge so sehr.

Und noch nie habe ich einen Wald gesehen, der so irrsinnig hell beleuchtet ist, sage ich zu den Freunden: Seit eineinhalb Jahren habe ich ja überhaupt kein Auge mehr zugemacht.

Tagelang lümmle ich im Schatten der Bäume herum oder erklimme Plateau um Plateau, und bevor ich den höchsten Punkt erreiche, sehe ich ganz aufgekratzt gerade noch, wie eine Gruppe von Vögeln in V-Formation durch das Zentrum der Sonne fliegt.

Die Höhepunkte, die bei Lady Chatterley ja *crisis* heißen.

Stimmt schon, dass ich auch viel weine in diesem Wald, sage ich zu den Freunden, die ihre Skepsis zum Ausdruck bringen. Bin oft hungrig und müde und allein, vor allem habe ich in einem Moment der Ekstase meine Stifte verlegt.

—

Deborah Levy in ihrer Antwort auf George Orwells »Why I Write«: »The night before, when I had walked into the forest at midnight, that was what I really wanted to do. I was lost because I had missed the turning to the hotel, but I think I wanted to get lost to see what happened next.«

—

Plötzlich wieder an den Wald in EIRAM ESIULs Erzählung *Das dicke Kind* gedacht, an das Kind mit seinen kühlen, hellen Augen, das an einem Winternachmittag auf einmal die Wohnung der Erzählerin betritt.

Es isst die Brote, die die Frau zuvor für sich selbst zubereitet hat: Wie eine Raupe, heißt es, verspeist es alles, was sie ihm widerwillig aufträgt, und die Geräusche, die es dabei verursacht, wecken in der Frau, die das Kind mit Argwohn betrachtet, Ärger und auch Verzweiflung, ja düstere Gefühle.

Später bricht es beim Eislaufen ein, das Kind, und steht bis zur Hüfte im eisigen Wasser, dort, wo eben noch seine Schwester ihre vollendeten Bahnen gezogen hat. Und während die Erzählerin, die auf dem vereisten Steg steht, noch zweifelt, ob es dem dicken Kind gelingen wird, sich selbst aus dem Wasser zu ziehen, sieht sie, dass etwas mit seinem Gesicht geschieht: Umgeben vom dunklen Wasser scheint es plötzlich alles Leben der Welt zu trinken, trinken zu wollen, und es beginnt, seinen schweren Körper mühsam aus dem Wasser zu hieven,

»ein schreckliches Ringen um Befreiung und Verwandlung, wie das Aufbrechen einer Schale oder eines Gespinstes«,

und der See an diesem Tag ist noch immer von schwarzen Wäldern umgeben, so wie ihn die Erzählerin auf dem Steg in ihrer Kindheit kannte.

—

Bereits als Kind, teilt der Ehemann der Patientin EW
dem behandelnden Psychiater, LUDWIG BINSWANGER
(Kreuzlingen), mit, habe seine Frau es »interessant«
gefunden, »tödlich zu verunglücken, z. B. beim Schlittschuh-
laufen einzubrechen«.

Auch, notiert Binswanger in seiner Fallstudie, sei sie ein
eigensinniges, ein heftiges Kind gewesen. »Einmal habe man
ihr ein Vogelnest gezeigt; sie habe aber mit Bestimmtheit
erklärt, das sei kein Vogelnest, und sich durch nichts davon
abbringen lassen.« Sie wünscht sich, ein Knabe zu sein, sie
reitet fahrlässig, küsst scharlachkranke Kinder, sie stellt sich
»nach einem warmen Bade nackt auf den Balkon«, steigt
»mit 39 Grad Fieber bei Ostwind vorn auf die Straßenbahn«.

»Um das Urteil der Welt kümmert sie sich nirgends«, schreibt
Binswanger in ihre Lebens- und Krankheitsgeschichte.
Umgekehrt bemerkt sie in ihrem 18. Lebensjahr im Tagebuch,
»wie der Herr Graf während des Sprechens sein Feinbrot
langsam in der Hand zerdrückt hat«, diese Beiläufigkeit des
Reichtums und der Verschwendung, während ihr die Gestalt
einer Hungrigen erscheint, die draußen in der Kälte steht.

Mit zwanzig reist sie nach Übersee: Aufenthalt auf jenem
Kontinent, den sie mit ihren Eltern und ihren zwei Brüdern
als Kind verließ, als die Familie nach Europa emigrierte.
»Sie ißt und trinkt mit Vergnügen«, hält Binswanger fest.
»Dies ist die letzte Zeit, in der sie harmlos essen kann. Sie
verlobt sich jetzt mit einem romantischen Überseer, läßt die
Verlobung aber auf Wunsch des Vaters zurückgehen. Auf

Wir folgen einer engen, mit großen Steinen gepflasterten Straße. Die Besitzerin der Pension, sagt K., Beatrice, eine Frau um die sechzig, sitzt den ganzen lieben Tag lang an einem großen Tisch vor ihrem Haus, auf dem Schoß das eine oder andere Enkelkind, neben ihr ihre Tochter, die sich auf Stellensuche befindet, oder der Schwiegersohn, ein langhaariger Franzose aus Toulouse, von dem sich die Tochter längst getrennt hat, dem aber die Sympathien seiner Schwiegermutter in der Hauptsache gelten. Er trägt kurze Hosen und albert mit seiner Tochter herum oder streicht den weiblichen Gästen im Vorbeigehen mit dem Zeigefinger über den Nacken. Es ist unmöglich, die Pension zu betreten oder zu verlassen, ohne von Beatrice an diesen Tisch kommandiert zu werden, um zumindest einen Espresso zu trinken, den Beatrices Tochter jeweils widerwillig aufsetzt. Die Enkelkinder mit ihren staubigen Händen und Füßen und ihrem langen französischen Haar wälzen sich einem auf den Schoß, sie besteigen einen, wie sie auch Mauern oder Hügel besteigen, und fahren den Gästen der Pension über die Gesichter, als wären sie blind, blinde Kinder, die versuchten, aus der Reihe der Anwesenden die ihnen bekannten Personen festzustellen. Unter den Gästen, sagt S., finden sich solche, die durchaus Gefallen finden an Beatrices strenger Form der Gastfreundschaft, einige deutsche Rucksacktouristen und ein Vulkanforscher mit seiner Freundin, die eben noch den Krater des Stromboli fotografierten und nun auf ihren Rückflug nach Turin warten, haben sich an diesem Tisch eingerichtet. Jeden Morgen nehmen sie ihre angestammten Plätze ein und plaudern, während sie gleich-zeitig Feigen vierteilen, auf ihren Telefonen die Wetterprognose abfragen oder den träge herumliegenden Katzen übers Fell streichen. Für Außenstehende, sagt K., scheint ihre Verbindung mit der Familie Beatrices privaten, ja verwandtschaftlichen Charakter zu haben. Nicht zuletzt die vertrauliche, wenn nicht zudringliche Umgangsweise, die der Franzose zum Missfallen der Tochter Beatrices mit den Gästen pflegt, führt dazu, dass alle Grenzen unscharf werden.

Der Franzose, sagt S., nenne die Schwiegermutter Mamma, ebenfalls seine Ex-Frau.

Ich esse und trinke mit Vergnügen. Beatrice lässt ihre Tochter Oliven und Crudo auftragen. Der Wein schmeckt angenehm bitter. Ich lasse mir nachschenken vom Franzosen, der keine Schuhe trägt und immer ein Auge darauf hat, dass die Gläser gefüllt sind. Nach soundso vielen Gläsern hämmern die Pulse bis in die Fingerspitzen. Für kurze Zeit, sage ich, sei ich verlobt gewesen mit einem Überseer, aber das gehöre nun der Vergangenheit an. Beatrices Tochter wischt einem Kind mit einem Taschentuch über den klebrigen Mund. Sie raucht dünne Zigaretten und spielt mit ihrer freien Hand mit der Zigarettenschachtel. S. lässt sich von einem Bielefelder Philo-sophiestudenten die Struktur der sizilianischen Gesellschaft auseinandersetzen. Ich arbeite an einer Schrift über den Beruf der Frau, nachts höre ich Turiya and Ramakrishna auf meinen Kopfhörern.

Gegen vier Uhr früh, sagt Clara, die Freundin des Vulkan-forschers, habe der Stromboli wieder große Mengen an Lava ausgestoßen. Sie habe Bilder gesehen, die zeigten, dass viele Bewohner und Bewohnerinnen der Insel zu dieser Zeit in kleinen Motorbooten aufs dunkle Meer hinausgefahren seien.

*Vor der steilen Flanke des Vulkans, der* Sciara del Fuoco, *schaukelten sie auf dem schwarzen, ja tiefschwarzen Wasser, die orange leuchtende, irre heiße Masse vor sich, die laufend über den Kraterrand hinab ins Meer fließt und dort bei der Berührung mit dem Wasser hoch aufsteigende, gespenstische Dampfwolken erzeugt.*

*Als ich frühmorgens aus dem Haus trete und mir gerade eine blaue Traube in den Mund stecke, taucht Beatrice geräuschlos aus dem Garten auf. Sie tritt neben mich, mustert mich und legt mir dann mit einem anerkennenden Blick ihre rechte Hand auf den Bauch. Regungslos bleibe ich stehen, die Traube auf der Zunge.*

*Clara sagt, sie habe den Eindruck, in Wahrheit warte die versammelte Gesellschaft, Beatrices Hof, nur auf die Entscheidung des Franzosen für eine der anwesenden Frauen. Wenn er so herumgehe und die Nacken der Frauen berühre, dann erinnere sie das an ein Spiel, das sie früher gespielt hätten: Die Kinder saßen im Kreis, einander zugewandt, während hinter ihnen ein ausgewähltes Kind vorbeiging, ein Stück Stoff oder ein zusammengeknülltes Taschentuch in der Hand, das es irgendwann, möglichst unauffällig, hinter dem Rücken eines Kindes fallen ließ. Interessanterweise, sagt Clara mit in Falten gelegter Stirn, scheine dieser Franzose, der hinter unseren Rücken seit Tagen im Kreis renne und sein Taschentuch nicht fallen lasse, die ganze Runde, auch sie selbst, in der Hand zu haben, obwohl sie sich in keiner Weise für diesen Mann interessiere, nur schon deshalb nicht, weil er niemals Schuhe trage, was in ihren Augen einen Mangel an Stil erkennen lasse.*

*S. meint, Beatrice sei wohl der Überzeugung, ich sei schwanger,*
*und habe mir mit ihrer Hand gewissermaßen ihren Segen*
*gegeben: von* Mamma *zu* Mamma. Madonna. *K. hingegen*
*glaubt, Beatrice halte ganz einfach nichts von der weitver-*
*breiteten Magerkeit der jungen Frauen und habe mit ihrer*
*intimen Geste ihre Freude darüber zum Ausdruck bringen*
*wollen, dass ich das Leben in seiner ganzen Üppigkeit genieße*
*und zum Ausdruck bringe.*

*Ich liebte das Leben leidenschaftlich, die Pulse hämmerten bis*
*in die Fingerspitzen, nun liege ich mit geschlossenen Augen*
*auf der Récamiere, denke nach über die Berufung der Frau*
*und das Taschentuch des Franzosen. Ich aß und trank mit*
*Vergnügen: Jetzt ist die Zeit der Feigen und Weintrauben*
*vorbei.*

*S. und der Franzose sind zu einem Abendspaziergang an der*
*Mole aufgebrochen. Die Tochter Beatrices zündet sich eine*
*Zigarette an und wirft den Kopf in den Nacken, wenn sie den*
*Rauch ausstößt, als beobachtete sie die Zeichen, die Signale, die*
*sie sendet. Auf der Bank an der Hauswand liegt ihre Tochter*
*und schläft, das verknotete, strähnige Haar ist ihr ins Gesicht*
*gefallen, Claras Freund deckt sie mit seiner North-Face-Jacke*
*zu und geht schlafen.*

*Die Grillen im Garten der Italienerin. Die Madonna des Briefes*
*mit den drei ausgespreizten Fingern der rechten Hand. Die*
*Kleider der Frauen am Tag des Landgangs. Schlafende Tiere,*
*tote Tiere, faulende Gemüsereste.*

Clara sagt, auf der Insel Stromboli habe sie im Dorfladen jeden Morgen dieselbe Frau angetroffen, eine groß gewachsene, ernste Frau im Alter von vielleicht siebenundzwanzig Jahren. Sie sprach gebrochenes Italienisch und kaufte stets Zigaretten und Obst, manchmal auch ein Brot. Es lag etwas Hartes, Kantiges in den Gesichtszügen dieser Frau, sie trug ihr Haar in einem Millimeterschnitt, und trotz der Hitze kam sie immer in schweren Schuhen daher. Na ja, sagt Clara, diese Frau hat mir gefallen, und ich stellte mir einige Tage lang vor, wie sie wohl lebte und reiste, ich sah sie auf der Rückbank eines Taxis durch asiatische Großstädte fahren oder Rotwein trinkend im Speisewagen eines europäischen Nachtzuges vorbei an Mannheim, Frankfurt, Fulda, in Sigfried Giedions Herrschaft der Mechanisierung oder Paul Lafargues Recht auf Faulheit vertieft. Obwohl ich natürlich wusste, dass es sich dabei um Unfug handelte, dachte ich an diese Frau als Kriegerin, als Person, die ihr Überleben im Zweifelsfall alleine sichern würde, ja, ich war mir sicher, dass sie alleine lebte, dass sie ihr Leben alleine verbrachte, nur schon ihrer Größe wegen schien sie in kein konventionelles Arrangement zu passen.

Beatrices Tochter lacht an dieser Stelle auf, sie streicht sich eine Strähne aus der Stirn und steht dann auf, um uns und sich selbst nachzuschenken.

Na ja, sagt Clara, schließlich saßen mein Freund und ich zwei oder drei Tage vor unserer Abreise auf dem Vorplatz der kleinen Kirche, wo sich die Nachbarn und Feriengäste Abend für Abend treffen, um auf dem Mäuerchen und den Stufen zur Kirche zu sitzen und aufs Wasser hinunterzuschauen, als die Kriegerin in Begleitung eines Mannes auftauchte. Sie setzten sich nah beieinander auf die Mauer, und ich sah augenblick-

*lich, dass es sich um einen schönen, sanften Mann handelte,*
*mit dem die Frau zusammenzuleben schien. Dieser Anblick*
*erschütterte mich auf gewisse Weise so sehr, dass ich mir in*
*den folgenden Tagen diesen Augenblick vor der Kirche immer*
*wieder vergegenwärtigte. Vor allem spürte ich eine lächerliche,*
*aber tiefe Eifersucht auf diese Frau, deren Auftreten ich nun*
*nicht mehr bewunderte, sondern als Provokation empfand:*
*Sie, die sich an keine Regeln gehalten hatte und, statt das Spiel*
*mit dem Taschentuch zu spielen, in Speisewagen durch die*
*Welt reiste, sie, die das Taschentuch liegen gelassen oder am*
*Hauptbahnhof in einen Mülleimer geworfen hatte, war der*
*vorgesehenen Strafe für ihre Zügellosigkeit, ihre Größe und*
*ihre harten Gesichtszüge, fortan allein zu leben, entgangen.*
*Im Gegenteil, sagt Clara, hatte sie diesen sanften Mann*
*gefunden, der nicht nur die Kapazität besaß, all dies, was diese*
*Frau war, hinzunehmen, sondern sie liebte und begehrte.*
*Wofür, dachte ich in meiner Eifersucht tagelang, während mein*
*Freund und ich den Vulkan beobachteten und große Kapern*
*aßen, wofür habe ich all das nur getan. Was ich damit meinte,*
*wusste ich selbst nicht ganz genau, eine Form der Enthaltsam-*
*keit vielleicht, die, wie ich nun verstand, mein Leben in viel*
*stärkerem Maß beeinflusst hatte, als ich jemals gedacht hatte.*

*Beatrices Tochter trägt ihr schlafendes Kind ins Innere des*
*Hauses und trinkt, als sie zurückkehrt, ihr Glas in großen*
*Zügen leer. Hier, sagt sie, scheinbar ohne sich an jemanden zu*
*richten, in der Meerenge zwischen Insel und Festland, lauern*
*seit jeher zwei Monster: Skylla, die die Männer an Bord der*
*passierenden Schiffe verschleppt, und Charybdis, die alles*
*zu sich in die Tiefe reißt, um ihren monströsen Hunger zu*

*stillen, Fähren und ihre Ladungen, lebende Tiere, Automobile,*
*Cocktailgläser und Matrosen. Bevor sie hierher in die Ver-*
*bannung geschleudert wurde, so sagt man, lebte Charybdis*
*an Land, so wie wir, aber hungrig war sie, immer hungrig, so*
*hungrig, dass sie hinging und die Rinder des Herkules nahm*
*und verschlang.*

*Gegen zwei Uhr betritt K. mein Zimmer und sagt, S. sei noch*
*nicht von ihrem Spaziergang mit dem Franzosen zurück-*
*gekehrt. Die Tochter Beatrices sei vor dem Fernseher einge-*
*schlafen. K. setzt sich auf den Bettrand und flicht ihr Haar zu*
*einem Zopf. Bist du auch hungrig, fragt sie. Ja, sage ich, aber*
*die Zeit der Feigen und des guten Schinkens ist nun vorbei.*

—

Spätnachts: Der Kondensmilch trinkende Klaus Kinski
in »Burden of Dreams« (1982), der es nicht über sich
bringen kann, das Getränk (Masato), das die Frauen im
peruanischen Regenwald zubereiten, indem sie die Wurzel-
knollen der Maniokpflanze erst kauen und dann wieder
ausspucken, zu trinken.

—

E. West, S. 67: »2. Wenn ich merke, wie viel ich essen kann,
erwacht in mir eine furchtbare Angst vor mir selbst.
Eine Angst vor dem Tierischen in mir. Eine Angst vor
etwas Uferlosem, in das ich zu versinken drohe.«

Bei Bourdieu: Die Berber in der Kabylei sagten von einem, der mit einer Frau geschlafen hat, er habe »gegessen und getrunken«.

—

Mit Paul im Aldi in Stötteritz: Er rennt hin und her zwischen den Regalen, Portwein, Clementinen, Brot, Bier, Milch, Spinat, Marmeladen. Ich sage, bei Ellen West heiße es: »Wir haben es in der Analyse so erklärt: ich versuche beim Essen zwei Dinge zu befriedigen: den Hunger und die Liebe.«

Durch die stillen Straßen tragen wir die Einkäufe nach Hause. Wie damals, als ich selbst noch hier wohnte: die vereinzelten Lichter hinter den Fenstern der hohen Häuser, dazwischen die dunklen Stellen, unbewohnte Etagen, verlassene Objekte.

Wenn man nachts nach Hause ging, hangelte man sich sozusagen von Lampe zu Lampe.

—

Plötzliche Erinnerung an die letzte Neujahrsnacht: Ich träumte von einer Reise entlang der Küste des Ionischen Meers, sah glänzende Landschaften, in sommerliches Licht getauchte Hügel, Promenaden, Städte, Supermärkte, die weißen Minarette einer Moschee. Jugendliche begleiteten mich auf ihren Motorrollern, zusammen schraubten wir uns auf der SH8 immer weiter hoch ins Gebirge.

Als handelte jeder Traum von C. oder als könnte er, C., sich umgekehrt in alles verwandeln: Tiere, feinstoffliche Materie, Landschaften.

Wie ich dann am ersten Januar mit Laura auf den Rietberg hochging: Unter uns ganz festlich der See, letzte Feuerwerkskörper stiegen am frühen Nachmittag in die Luft. Ernst Ludwig Kirchner, lasen wir, habe im Juli 1919 über die junge Zürcher Künstlerin Alice Boner geschrieben: »Weiche Studentin. Wein, Zigaretten. [...] Sucht Liebe und setzt sie in die Landschaft.«

Die Stadt war so still und leer an diesem ersten Tag des Jahres. Die Hände in den Manteltaschen, ging ich zurück nach Hause, und als ich die verlassene Fritschiwiese überquerte, fiel mir ein, dass er, C., als er zum ersten Mal meine Wohnung betreten hatte, plötzlich sehr hungrig gewesen war, wie er selbst sagte; er öffnete all meine Schubladen und Schränke, sogar das Gefrierfach.

—

»Traum 3: Träumt, daß sie auf der Reise nach Übersee durch eine Schiffsluke ins Wasser gesprungen ist. Der erste Geliebte (der Student) und der jetzige Mann haben Wiederbelebungsversuche gemacht. Sie hat viele Pralinées gegessen und die Koffer gepackt.

Traum 4: Sie bestellt sich Goulasch, sagt, daß sie sehr hungrig ist, will aber nur eine kleine Portion haben. Klagt ihrem alten Kindermädchen, daß man sie sehr quält. Will sich im Wald anzünden.«

—

Ellen West, 1888 in *Übersee* geboren, übersiedelt mit ihrer Familie, von der es heißt, sie sei vermutlich jüdisch und vermögend gewesen, noch als Kind nach Europa. »Ihre Spiele waren bis zum 16. Jahr knabenhaft. Am liebsten ging sie in Hosen.«

Nachdem sie als Zwanzigjährige mit Umweg über Sizilien von einer zweiten Amerika-Reise zurückkehrt und noch zu Beginn ihrer Zeit in Sizilien »einen Riesenappetit entwickelt«, beginnt sie zu hungern, bricht zu immer ausgedehnteren Spaziergängen auf. Bleiben die Freundinnen unterwegs stehen, berichtet Binswanger, geht sie in Kreisen um sie herum, umkreist sie fortwährend, um in Bewegung zu bleiben.

Brief an Emma: »Es ist überhaupt eine ganz große Scham in mir, dass ich so beherrscht werde von einer Idee, die allen vernünftigen Menschen unsagbar lächerlich und verächtlich vorkommen muss.«

Es handle sich, heißt es in der Forschungsliteratur, bei der Entscheidung, zu essen oder es nicht zu tun, um eine Obsession mit dem Tod, die Patientin EW habe die Frage nach Leben oder Tod am Beispiel des Essens verhandelt, es ist die Rede von der *great depression*, der M e l a n c h o l i e, obsession de la honte du corps, anorexia nervosa, von der Entfremdung der Frau im Patriarchat, von einer Reduktion des Weltentwurfs auf die Gestalt des Loches, von einer ausgesprochenen Oralität, der Gier zur Einverleibung, zur Ausfüllung. In der von Binswanger in den Kriegsjahren 1944/45 publizierten Fallstudie die »Gleichungen« A. schlank = geistig; dick = jüdisch, bürgerlich, und B. Essen = Befruchtet- und Schwangerwerden.

»Auch im Falle Ellen West«, schreibt Binswanger, »zeigte sich die Ausfüllungsgier ja keineswegs nur in Form der Freßgier und des Hungers, sondern in Form ihrer Lebens- und Machtgier, ihres Lebens- und Machthungers (›Ehrgeiz‹) überhaupt.« West beiße »in alles Leben gierig hinein«.

»Oh, that I were a boy, a boy« (EW, März 1902)

—

Am Telefon mit A. erzähle ich von dem dicken Kind, das ich gestern im Selbstbedienungsrestaurant gesehen habe: Die Mütze tief ins Gesicht gerutscht, sitzt es vor einem Berg Bratkartoffeln und redet in einem fort auf die Mutter ein, geradezu beschwörend bringt es das Anliegen vor, es möchte nach seinem Tod hierher zurückkehren und für immer Kartoffeln essen.

Denn so stellt sich das Kind den Himmel vor: Bratkartoffeln im Überfluss.

—

Beim Mittagessen meint C., die passabelste Möglichkeit, noch einmal über EW zu schreiben, nachdem es so viele schon getan haben, liege vielleicht in der vollständigen Abkehr von der Analyse und den Studien: Die Frau, deren Namen wir nicht kennen, jüdisch, zweisprachig, gut situiert, die sich zweimal verlobt und diese Verlobungen auf Wunsch des Vaters wieder löst, der kein Pferd zu gefährlich ist, die liest und sich für die politische Ökonomie interessiert, erst Revolution machen will, zur Verbesserung der Welt berufen (»Konzessionen machen predigt ihr? Ich will keine Konzessionen machen! Ihr seht es ein, die bestehende Gesellschaftsordnung ist faul, bis auf die Wurzel angefault, schmutzig und gemein; aber ihr tut nichts, um sie umzustoßen.«), die »wie eine russische Nihilistin Heimat und Eltern verlassen, unter den Ärmsten der Armen leben und Propaganda machen [will] für die grosse Sache«, dann wieder Hals über Kopf in die Tiefe stürzt, zu nichts nutze und dunkel, sehnsüchtig, sie versagt sich im frühen 20. Jahrhundert das Essen trotz ihrer Lust, ihres großen Appetits, und wird zur immer wieder versuchten Asketin.

»Ich will kurz einen Morgen schildern. Ich sitze am Schreibtisch und arbeite. Ich habe viel zu tun; viel, auf das ich mich gefreut habe. Aber eine quälende Unruhe läßt mich nicht zur Ruhe kommen. Ich springe auf, laufe hin und her, bleibe immer wieder vor dem Schrank stehen, in dem mein Brot liegt. Ich esse etwas davon; 10 Minuten später springe ich wieder auf und esse wieder etwas davon. Ich nehme mir fest vor, jetzt nichts mehr zu essen. […] Meistens endet es so, daß ich auf die Straße laufe. Ich laufe vor dem Brot in meinem Schrank weg […] und irre planlos umher.«

Als wir nach dem Essen am Fenster sitzen und Kaffee trinken, lesen wir Thomas Bernhards Beschreibung seiner Entgegennahme des Grillparzerpreises in Wien: wie Bernhard am Tag der Zeremonie in der Kabine des *Sir Anthony* einen neuen Anzug anprobiert, diesen wenige Stunden später, nach einem Essen mit Freunden und seiner Tante in der Gösser Bierklinik, als ganz offensichtlich viel zu eng, »um mindestens eine ganze Nummer zu klein« empfindet und noch am gleichen Tag zurückkehrt ins Ladengeschäft, um ihn gegen einen größeren umzutauschen.

»Nach Tisch«, sage ich, als ich das Buch zuklappe, schreibe EW, sei ihr »immer am allerschlimmsten zumute«. Gefühle der Leere, der Angst und der Hilflosigkeit.

An anderer Stelle: »Sowie ich einen Druck in der Taille fühle – ich meine einen Druck des Rockbundes –, sinkt meine Stimmung und ich bekomme eine so schwere Depression, als handle es sich um wunder was für tragische Sachen.«

Während C. sich die Schuhe schnürt, sage ich, EW habe gemeint, sie würde die Befreiung finden, wenn sie nur das Rätsel lösen könnte, das »die Verknüpfung des Essens mit der Sehnsucht« darstelle.

– Die Lust?

– Ja, natürlich.

—

Ich kenne ein fremdes, ein weit entlegenes Gebiet, schreibe
ich an C., Zwergwachteln legen kleine, glänzende Eier
dort und wilde Palomino-Herden streifen durch schattige
Wälder, rotäugige Schildkröten hieven ihre Körper über glatt
geschliffene, warme Steine, silbrige Täubchen schwirren mir
in einem fort um den Kopf dort, während ich auf einem
geflochtenen Stuhl in der Hitze sitze und Abendbrot esse
etc. Möge es dir nur gefallen, schreibe ich, mich dort zu
besuchen, wir können uns nach dem Essen dann in den
Schatten der Monstera legen.

—

Die Figur einer Frau bei Joyce: »Sie saß am Fenster und sah
zu, wie der Abend in die Straße eindrang. Ihr Kopf war
an die Fenstervorhänge gelehnt und in ihrer Nase war der
Geruch von staubigem Kretonne.« Im Hafen der Stadt liegt
zu diesem Zeitpunkt ein Schiff vor Anker, das sogenannte
Nachtschiff, das in wenigen Stunden auslaufen und seine
europäischen Passagiere über den Atlantik nach Buenos Aires
befördern soll.

Die Frau, Eveline, erinnert sich in diesem Augenblick
an die letzte Nacht der Mutter: wie sie sterbend im engen,
dunklen Krankenzimmer liegt und dieselben Worte unablässig wiederholt – »Derevaun Seraun! Derevaun Seraun!« –,

sie ihr, der Tochter, mit törichter Beharrlichkeit, wie Joyce schreibt, immer wieder zuruft.

Die Bedeutung der Worte, schreibt Wim Tigges im Herbst 1994 unter der Überschrift »*Derevaun Seraun!*« *Resignation or Escape?* in der James Joyce Quarterly, sei ungeklärt: Don Gifford bemerke, dass Patrick Henchy darin die gälische Formulierung »The end of pleasure is pain« wiederfinde, Roland Smith den Satz hingegen als »The end of the song is raving madness« ins Englische übertrage; Marian Lovett von der University of Limerick habe den Ausruf angeblich spontan mit »I have been there; you should go there« (do raibh ann, siar ann) übersetzt.

Die Erinnerung an die dunkle, sibyllinische Rede der sterbenden Mutter als Mahnung, dem Seemann doch auf das Nachtschiff und in die sogenannte »Neue Welt« zu folgen: die Worte der Mutter als Ausdruck ihres verschleierten, ihres geheimen oder nie realisierten Verlangens.

—

Nach Mitternacht, sage ich am Telefon zu A., während ich in meiner Wohnung umhergehe und die Pflanzen gieße, wache ich auf und bin hungrig. Ich verlasse meine Kabine und gehe über die Decks des Nachtschiffs, folge den Treppen und Fluren hinab in die Tiefe des Fahrzeugs, und als ich an der Mannschaftsmesse vorbeikomme, sehe ich dort, vor feierlich gedeckten Tischen, einen Chor stehen, aus dessen Mitte in diesem Augenblick meine Mutter hervortritt. Versonnen lächelt sie, die Wangen gerötet, und wiegt sich leicht hin und her. »The end«, singt meine Mutter mit ihrem schönen, klaren Sopran, »the end of pleasure is pain.« Der Chief Mate aus Schneverdingen, der auf der Eckbank sitzt, verbirgt erschüttert das Gesicht in den Händen. Dann setzt der Chor ein.

—

»Ich habe Angst vor dem Uferlosen. Es heißt, dass man sich am meisten vor den Dingen fürchtet, nach denen man sich am meisten sehnt. […]

Träumt mir darum so häufig vom Wasser?«

EW, 27. Okt. 1920.

»And it seemed she was like the sea, nothing but dark waves rising and heaving, heaving with a great swell, so that slowly her whole darkness was in motion …«

D. H. Lawrence: Lady Chatterley's Lover, S. 172.

—

Die Mutter, sage ich zu A., spricht eben in Zungen, glaube ich, sie spricht Code, um der Tochter mitzuteilen: Ich kannte ein fremdes, ein sehr schönes Gebiet, Rebhühner wandern dort durch das schattige Gehölz, rotäugige Schildkröten liegen dort regungslos im stehenden Gewässer, silbrige Täubchen nisten in den Kronen hoher Bäume dort und so weiter, geh hin und schau's dir an.

—

Das Gebiet, in das Madame Bovary nachts von vier Pferden
transportiert wird: Neue Länder, ganze Städte »mit Kuppeln,
Brücken, Schiffen, Zitronenhainen und Kathedralen
aus weißem Marmor« liegen vor ihr; sie träumt von zu
Pyramiden gestapelten Früchten, von bleichen Statuen und
von den Schatten der Palmen am Meer.

—

Oder umgekehrt: Die Mutter warnt die Tochter, Eveline,
davor, ihr Land zu verlassen, jenes Tal des Schattens, wie es
Ursula K. Le Guin genannt hat, die verworrene, animalische,
unreine Nachtseite des Landes, die den Frauen so vertraut sei
(Ort des Irrationalen und Irreparablen, der Krankheit und
der Schwäche).

Denn falls es eine Tagseite zu diesem Schattental gebe, »hohe
Sierras, Prärien aus hellem Gras«, sei sie den Frauen höchs-
tens aus Geschichten bekannt (*pioneers' tales*)
     und nicht zu erreichen, indem *Machoman* imitiert werde.
(Le Guin 1983)

So gesehen, sage ich, kommt Evelines schlussendlicher
Weigerung, dem Seemann auf das Nachtschiff zu folgen,
auch dem Ausruf der Mutter auf dem Sterbebett eine
weitere Bedeutung zu: Die Frau nimmt nicht teil an der Ent-
deckungsfahrt, der Expedition, obwohl sie die Rebhühner,
die schlafenden Schildkröten auch gern sehen würde, und

bleibt zu Hause, denn sie ahnt schon: Das Ende des Lieds ist tobender Wahnsinn, raving madness, ist Tod und Zerstörung in Übersee.

—

Wie heißt es noch mal bei Freud, beschreibt er nicht das Geschlechtsleben der Frau als *dark continent.*

—

Telefonat mit A. In der Kretonne-Gardine vor Evelines Fenster stecke ja bereits, wenn man so wolle, das überseeische Gebiet, das europäische Unternehmen in der Neuen Welt, die Plantage der Großen Antillen und der amerikanischen Südstaaten, die den Fabriken Europas die Baumwolle zur Verarbeitung über den Atlantik geliefert habe.

—

Nach Mitternacht wache ich auf und steige die Treppe meines Elternhauses hinunter. Schon im Flur sehe ich, dass noch Licht brennt in der Küche, was mich nicht überrascht, denn meine Mutter, eine Grundschullehrerin, hat viele Nächte meiner Kindheit arbeitend am Küchentisch verbracht, und auch in meiner Jugend, wenn ich am späten Abend noch einmal aufstand, um mir in der Küche ein Glas Milch einzuschenken, oder wenn ich nachts nach Hause zurückkehrte, nachdem ich mit meinen Freundinnen Sahnelikör aus Wassergläsern getrunken hatte und dann vor dem Fernseher eingeschlafen war, fand ich sie dort vor, mit Scheren und Stiften, über die Hefte ihrer Schüler und Schülerinnen gebeugt. Als ich mich nun der Küche nähere, sehe ich, dass meine Mutter aufrecht hinter dem Tisch steht, eine weiße Schürze umgebunden, ein Messer in der rechten Hand. Als ich den Raum betrete, streicht sie sich mit dem Handrücken über die Stirn und hinterlässt dabei eine blutige Spur in ihrem erschöpften Gesicht. Dann setzt sie das Messer wieder an und zerlegt das vor ihr auf dem Tisch liegende Stück Fleisch mit größter Konzentration in kleine Würfel. Ich nehme Platz. Draußen liegt Schnee. Die Äste der vier Apfelbäume im Garten biegen sich unter seinem Gewicht. Still und schön breitet sich die mitternächtliche Winterlandschaft hinter meiner Mutter aus. »I have been there; you should go there«, sagt sie, die meinem Blick gefolgt ist, das blutige Messer in der Hand.

Oder sagte sie »do raibh ann, siar ann«, ich weiß es nicht mehr.

—

Wie ich vor ungefähr drei Jahren frühmorgens vom Ufer eines Sees auf den S-Bahnhof zugehe. Eiskalter Wind fährt mir unter den Mantel, in die Ärmel, ins Gesicht. Vor der Bäckerei am Bahnhof steht ein älterer Mann, ohne Umwege kommt er auf mich zugelaufen, fragt nach Geld und sagt dann, während er frierend vom einen Bein aufs andere springt, wenn es stimme, dass ich Schriftstellerin sei, müssten wir uns am kommenden Montag um halb zwei wieder-

sehen, damit ich seine Geschichte und die seines Vaters, der
Fleischer gewesen sei, aufschreiben könne.

Großhändler oder Angestellter, fragt er, als ich sage, mein
Großvater sei ebenfalls Fleischer gewesen.

—

Nach Mitternacht laufe ich durch die leeren Straßen nach
Hause, vorbei an den Türmen der Siedlung Hardau II und
dem verwaisten Stadion, quer über die Wiesen im Park. Auf
einer Bank sitzt einer mit seinem Besteck und kocht auf. Zu
Hause schlafe ich, ein Kissen unter den Nacken geschoben,
bei brennendem Licht auf dem Sofa ein: Im Traum öffnet C.
all meine Schubladen und Schränke, sogar das Gefrierfach,
aber findet nicht, wonach ihm der Sinn steht, nichts, was ihm
angenehm ist, also laufen wir zum Supermarkt und kaufen
Blutorangen, Wein, gefüllte Paprika, Spargelcanapés, Lachs
und Austern, tiefgefrorene Weinbergschnecken, eingelegte
Artischockenherzen, ein gutes Dutzend Passionsfrüchte.

Über den Kühlschrank, sagt A., habe er kürzlich gelesen:
»Der Blick in den Schrank gilt als intim.«

Bei Achternbusch: »Seitdem laß ich mich von niemand
mehr anlangen, damit mir überhaupt keine Energie mehr
abgeführt wird.«

Die Vögel pfeifen tschih pfi tschih pfi tschih pfi.

—

»Ellen läßt ganze Mahlzeiten aus, um sich dann mit um so größerer Gier wahllos auf irgendwelche Speisen, die gerade zur Hand sind, zu stürzen. Sie verzehrt täglich einige Pfund Tomaten und 20 Orangen.« (Binswanger, S. 265)

—

Im Märe von der halben Birne werden zum Abschluss eines üppigen Essens am Hof des Königs eine Birne und Käse serviert: genau genommen je eine Birne für jeweils zwei Gäste, und der Ritter, der zuvor im Turnier, das der König auf Bitten seiner Tochter veranstaltete, glänzte und deshalb neben der Prinzessin platziert wurde, nimmt die Birne, halbiert sie und schlingt seine Hälfte herunter, ohne sie zu schälen und ohne zuvor die andere Hälfte der Königstochter zu reichen.

*Ei schafaliers,* verspottet die Prinzessin den Birnenesser später, *der die biren ungeschelt halber in den munt warf.*

Wie die Königstochter die peinliche Lust des Ritters lauthals über den ganzen Turnierplatz hinweg verkündet.

In der gleichen Geschichte (V. 495) das Begehren der Frau als *die grôze leckerheit.*

—

– Was sind die Dinge, die du von deiner Mutter gelernt hast?
– Eine gewisse Strenge. Aufmerksamkeit. Die Bereitschaft zur Aufopferung. Aber auch die nötige Sorge für sich selbst.

– Und im praktischen Sinne?

– Na ja, was man so lernt. Die Verrichtung von Tätigkeiten im Alltag, den Gebrauch von Dingen wie Schere und Pinsel. Auch das Schreiben vielleicht, ich bin nicht sicher. In den meisten Fällen bin ich ganz unsicher, wer mir was beigebracht hat, zum Beispiel das Skifahren. Ich erinnere mich im Großen und Ganzen auch gar nicht daran. Nur das Fahrradfahren, da sehe ich mich selbst, wie ich an den Sommerabenden auf einem weißen BMX die Straße lang und über den Kehrplatz auf die Wiese zufahre, zum ersten Mal ohne die Stützräder. Wie die Eltern erst noch mitliefen und den Sattel hielten, dann losließen. Das ganz sanfte Licht der frühen Abende, wie die Wiesen in der Ferne nahtlos in den Himmel übergingen und wie lang diese Zeit der Dämmerung zu sein schien.

– Wurdest du auch von deiner Mutter aufgeklärt?

– Ja, meine Mutter hat immer ganz frei gesprochen. In diesem Sinn gab es eigentlich nicht diesen einen Moment der Aufklärung, sondern wenn wir etwas fragten, also, wie funktioniert eigentlich das und das, dann haben wir eine Antwort bekommen. Ich erinnere mich im Grunde auch nicht an eine Zeit, in der ich nicht Bescheid gewusst, in der ich gerätselt hätte.

– Hat dir das ein Selbstvertrauen gegeben, weil du da als Kind gegenüber anderen vermutlich mehr wusstest?

– Nein, das habe ich einfach zur Kenntnis genommen, diese Dinge, wenn ich mich richtig erinnere. Das hat dann alles Spektakuläre verloren, also, es handelte sich ja eher um tech-nisches Wissen. Das Begehren, die Lust, das war ja etwas ganz anderes.

– Wann hat das bei dir angefangen?

– Das kann ich nicht genau sagen. Als ich fast fünf Jahre alt war, da fuhr mein Vater mit meiner Schwester und mir nach Italien, in die Nähe von Follonica. Da machten wir eine oder zwei Wochen lang Urlaub in einem Feriendorf für Leute mit Kindern, da gab es ein Kinderprogramm mit Musik und sportlichen Aktivitäten und solchen Dingen, und ich erinnere mich daran, dass da zwei Männer, es müssen junge Männer gewesen sein, also vielleicht Anfang zwanzig oder sogar noch jünger, die haben da gearbeitet als Animateure. Und was ich eben noch weiß, ist, dass wir Kinder einmal, als wir malten, in eine Art von Raserei ausbrachen und diese zwei jungen Italiener zu bemalen begannen, die Füße und die Beine und so weiter, bis die Eltern irgendwann dazwischengingen, und dass es dabei eben vor allem um die Körper dieser Männer ging. Das ist so eine sehr frühe Erinnerung, und ich sehe noch ihre Waden vor mir, die sehr behaart waren und gebräunt von der toskanischen Sonne, ihre Füße auch, aber nicht ihre Gesichter.

—

Ich klicke mich durchs Netz, und ein 35-jähriger Hesse schreibt mir, er stelle sich vor, wie sein Chef bei der Bank, der schwarz sei, ein schwarzer Mann, ein Hüne, mit seinem Schwanz erst mich penetriere und dann ihn, der auf dem Boden hinter seinem Schreibtisch knie. Könntest du einen Mann wie mich lieben, Baby, schreibt er, also im richtigen Leben, könntest du das, Baby. Ich setze Kaffee auf. Bist du südländisch, Baby, schreibt er. Bei Brinkmann, erinnere ich mich, heißt es irgendwo *Staubsüden, Betonsüden, südliche Konstruktion, fortzufliehen, in den Süden, wo der Süden ist, aus der Realität in die*

*Fiktion Süden* und so weiter.

—

Übrigens, sage ich zu A. am Telefon, habe C. an jenem Abend, als er mich zum ersten Mal besucht und meinen Kühlschrank inspiziert habe, in meiner Küche dann ein Gericht zubereitet. Wir aßen und tranken (die niedrige Tischlampe beleuchtete nur den unteren Teil seines Gesichts, seinen Mund, sage ich, während seine Augen im Dunkeln lagen), und gegen zwei Uhr morgens verabschiedete er sich und ging nach Hause. In derselben Nacht wachte ich um vier Uhr dreißig plötzlich noch einmal auf, das Bild der Wiener Secession vor Augen, die goldene Kuppel des Gebäudes und seine weiße Fassade, wie ich sie im gleißenden Junilicht einige Jahre zuvor gesehen hatte, als ich mir in der kleinen Kammer im oberen Geschoss eine Ausstellung von James Lee Byars' Zeichnungen angesehen hatte und lange zwischen den beschrifteten Wimpeln, den goldenen Fahnen, seinen in die Schweiz gesandten Briefen umhergegangen war.

—

Wie wir einmal eine ganze Nacht trinkend in der heißen Küche verbrachten und dann gegen zwei Uhr morgens schließlich die Türen zum Balkon öffneten: In den Ästen der Platane im Hof hing ein blaues Handtuch oder vielleicht ein blaues Fußballtrikot, es bewegte sich nichts, alles schien stillzustehen, es drang kaum kühle Luft ins Zimmer, und jemand, er oder ich, sagte, in den Nachrichten hätten sie vermeldet, die Wasserstände der Seen lägen tief, bald würden die Bäume wegen der Hitze ihre Früchte abwerfen und in den warmen Bächen die Äschen sterben. Wie schön sie war, diese Nacht, überhaupt dieser Sommer, über uns dieses tiefblaue Gewölbe, und zur gleichen Zeit mussten die Fische aus dem Wasser geholt werden, damit sie nicht zugrunde gingen.

—

Tag für Tag, sage ich zu A. am Telefon, erwache ich in der gleichen Lage, die angewinkelten Beine eng am Körper, die Arme an der Brust, als beschützte ich mich selbst im Schlaf. Ich sehe mich in meinem Schlafzimmer um, erstaunt darüber, dass ich die gerade vorübergegangene Nacht allein verbracht, dass ich gerade noch geschlafen habe auf meinem Bett, und der Raum vergrößert sich vor meinen Augen zum Dom, in dem hoch oben, *flap flap,* ein Vogel flattert.

Im Rückblick auf die Nächte erschrecke ich über die Vorstellung meiner selbst, die abends alleine am Küchentisch sitzt, das Geschirr abwäscht, auf dem Sofa liegt und irgendwann einschläft, obwohl ich an diesen Abenden selbst kaum je einen Gedanken daran verschwende, im Gegenteil meist beinahe glücklich bin. Es ist, sage ich, vielleicht nicht mehr als das Erstaunen darüber, dass ich mich längst aus freien Stücken losgesagt habe von den Eltern und nun erwachsen bin.

—

*Mr. Williams* (zum Zeugen). – Wie lautet der Name Ihrer
Tochter? – Ellen.

Haben Sie weitere Kinder? – Nein.

Was ist ihr Alter, Mr. Turner? – Sie war fünfzehn, am
12. Februar 1826.

Lebt ihre Mutter, Mr. Turner? – Ja, sie lebt.

Ist sie in Lancaster? – Ihre Mutter?

Ja. – Nein, ist sie nicht.

Was ist der Grund dafür? – Sie ist unwohl.

Ist es ihr möglich, die Reise zu unternehmen? – Das ist
es nicht.

—

Im Traum bereise ich wieder dieselbe Küstengegend, ich
passiere die Meerenge von Otranto, und viel später sehe ich
weit draußen im glitzernden Meer die Umrisse einer der
Ionischen Inseln. Am äußersten Ende des Küstenabschnitts
sitzen vor einem zweistöckigen, ovalen Bau, der eng ans
Wasser gebaut und dessen Fassade in einem hellen Blau
gestrichen ist, zwei Brüder – der eine betreibt das Hotel, das
er zusammen mit seinem Vater eigenhändig errichtet hat, der
andere spielt Fußball in Dortmund und ist nur zu Besuch.
Auf meine Frage, ob ich hier ein Zimmer bekommen könne,
nickt der Fußballspieler und streicht mir zärtlich übers Haar,
ich lege mein Gesicht an seinen warmen Hals.

# Swan River

– Ich wollte dich noch einmal zum *Kapital* befragen.

– Ja, das ist im Grunde eine interessante Geschichte, dass ich, wie du ja weißt, das Buch jetzt wieder konsultiere. Ich kaufte den ersten Band in der Volksbuchhandlung Buch + Antik auf der Leipziger Karl-Heine-Straße. Es war Finanzkrise, also zweitausendsieben, zweitausendacht ungefähr, und ich wohnte damals mit Roman in der Lütznerstraße. Tagsüber schrieb ich, abends gingen wir wegen der großen Kälte in die Kneipen.

– Habt ihr mit Kohle geheizt?

– Ja, die Kohle wurde im Herbst geliefert und durch ein kleines ebenerdiges Fenster von der Straße her in den Keller gelassen.

– Ist dir das leichtgefallen, das Heizen?

– Die Technik, die war mir schon vertraut aus meiner Kindheit. Da hatten wir mit Holz geheizt. Und vom Feuern im Wald, das hatten wir oft gemacht als Kinder, alles Mögliche hatten wir angezündet, Matratzen, Autoreifen, Plastikteller, Furniersperrholz. Aber bei der Kohle hatte ich immer Angst, eine wenig plausible Angst, weil auch unsere Fenster ja ganz undicht waren und deshalb immer frische Luft durch die Ritzen drang, aber ich hatte große Angst, einmal die Ofenklappe zu früh zu schließen und mich zu vergiften, so wie zum Beispiel Sophie Taeuber-Arp, die ja im Gartenhaus von Max Bill so ums Leben gekommen war.

– In dieser Zeit, in Leipzig, hast du das *Kapital* gelesen?

– Einige Kapitel, die ersten Kapitel über den Gebrauchswert und den Tauschwert und so weiter, die habe ich bestimmt damals gelesen, 20 Ellen Leinwand = 1 Rock. Und eigentlich wäre es nicht übertrieben, zu sagen, dass mich alle Fährten immer wieder dorthin zurückgeführt haben und nun auch die Geschichte des Lottospielers, der in den Siebzigerjahren ja 1,7 Millionen gewonnen und dann auch alles wieder verloren hat. Das ist jetzt nicht leicht, das so zusammenzufassen, aber irgendwann hatte ich begriffen, dass das, was mich daran wirklich interessierte, mit einer späteren Episode im Leben dieses Mannes zu tun hatte, als er nämlich aus einem bestimmten Grund über den Atlantik in die Karibik gereist war. In dieser Reise schien sich etwas zu zeigen, für mich zumindest, und daran arbeite ich ja noch immer. Auf jeden Fall ging ich aber in diesem Zusammenhang dann noch einmal hin und las bei Marx das Kapitel über die moderne Kolonisationstheorie. Er diskutiert darin eine Theorie, die ein Brite namens Wakefield entwickelte, als Antwort auf die Frage, wie in den Kolonien Lohnarbeiter hergestellt werden können. Das Problem war ja, kurz gefasst, dass es in den überseeischen Gebieten so viel freies Land gab, also freies Land in Anführungszeichen, *desert* schreibt Wakefield, und im Prinzip konnten sich alle, die von Europa nach Übersee kamen, selbstständig machen und irgendwo Land bebauen und so weiter: Alle konnten für sich selbst akkumulieren als unabhängige Produzenten, statt Lohnarbeit für Dritte auszuführen. In seiner Kolonisationstheorie versucht Wakefield dann, die Frage zu beantworten, wie diese Abhängigkeiten trotzdem hergestellt werden können, um den Kapitalisten ihre Arbeitskräfte zu sichern. Und interessanterweise bespricht Marx aber nicht die Sklaverei oder die Frage, was es bedeutet, dass zeitgleich mit dem kapitalistischen Wirtschaftssystem auch die Plantagenwirtschaft existierte.

– Er schreibt an einer früheren Stelle, es habe »die verhüllte Sklaverei der Lohnarbeiter in Europa zum Piedestal die Sklaverei sans phrase in der neuen Welt« bedurft.

– Und der Sozialanthropologe Sidney Mintz schreibt von einer Art Irritation, die ihn befällt, als er im gleichen Moment die Zuckerrohrfelder und den weißen Zucker in seiner Tasse sieht. Nicht in erster Linie im technischen Sinne, der Transformation wegen, sondern weil im gleichzeitigen Anblick des Zuckerrohrs und des raffinierten Zuckers das Rätsel oder Geheimnis aufscheint, *the mystery*, so schreibt er, dass eben die Zuckerproduktion Unbekannte über Zeit und Raum hinweg miteinander verbindet. Weil ja der Zucker historisch auf den Plantagen produziert und dann in Europa, auch von den europäischen Lohnarbeitern, konsumiert wurde.

Der Zucker ist also ein Motiv oder Ding, ein Rätsel, das immer wieder aufgetaucht ist bei mir in den letzten Jahren. Lange Zeit hatte ich einen Zettel mit dem sogenannten »Traum 3« von Ellen West über meinem Schreibtisch: Sie träumt, dass sie auf der Reise nach Übersee durch eine Schiffsluke ins Wasser gesprungen ist. Ein Student, den sie einmal liebte, und ihr Mann versuchen beide, sie wiederzubeleben. Schließlich: »Sie hat viele Pralinées gegessen und die Koffer gepackt.«

—

Gestern Abend ein Balkon über dem Limmatquai: Jemand
erklärt, das Kapital sei doch angewiesen auf die Spaltungen,
die immer neu vollzogen und gefestigt, ja vertieft würden,
die Spaltung von überseeischem Sklaven und europäischem
Proletarier, von Bürgerin und Papierloser, von Kranken
und Unversehrten, die Spaltung der Ausgebeuteten in der
Metropole von den kolonialen Subjekten, des Manns als
Fabrikarbeiter von der Frau als Maschine der Reproduktion
und so weiter

(wie man es z. B. bei Federici lese),

denn nur so könne sich das System angesichts der
eklatanten Diskrepanz zwischen den Versprechungen des
Kapitalismus und den tatsächlichen, miserablen Verhältnissen doch aufrechterhalten.


Unten auf der Straße ein Polizeiwagen, der im Schritt-
tempo neben dem trägen Fluss her Richtung Central
fährt, jemand tritt mit einer Flasche Wein hinzu, und C.,
der zu spät gekommen ist und dann scheinbar unbetei-
ligt in der Tür lehnte, meint jetzt, es sei, soviel er wisse,
in der Literatur auch die Rede von der ursprünglichen
Akkumulation als Akkumulation von Unterschieden und
Spaltungen.


In diesem Moment trete ich vor oder meine ich es nur,
ich ziehe eine Birne aus meiner Manteltasche und biete sie
ihm an.

Die Frucht schimmert im Licht der Straßenlaternen.
Mehr habe ich nicht, flüstere ich, es ist eine gute Birne, nimm
sie endlich. C. wirft mir einen kurzen Blick zu, dann führt er

meine Hand und mit ihr die Birne an seinen Mund und beißt
wortlos ab.

*O schafaliers, so grôz ist meine leckerheit*

—

Einmal steige ich im späten August nach einem Abendessen mit einigen Leuten auf einen Hügel über Zürich,
dunkel stehen die Linden da oben, hinter unseren Rücken
die Flutlichter des Flughafens. Wir setzen uns auf das
Mäuerchen, unsere Schultern berühren sich manchmal in
der Dunkelheit, und jetzt, in der Erinnerung, sehe ich die
winzigen Autos vielfach beschleunigt über die Hardbrücke
fahren, so schnell geht die Zeit vorbei.

Ein andermal betrachten wir den Beginn des neuen Jahres
vom Käferberg aus; die Köpfe in den Nacken gelegt, schauen
wir den Raketen nach, während um uns her die Kinder
an den Händen der Erwachsenen über die unebene Wiese
stolpern.

Dann eine Nacht in einer Kneipe in Deutschland mit einem
amerikanischen Programmierer, der von Arnold Schön-
berg spricht, Shawnberg, sagt er, später der Gang durch die
dunklen, verlassenen Straßen. Die hellen Wohnblöcke an der
Manteuffelstraße ragen wie eisige Quader, schroffe Gipfel
in die frostige Dunkelheit. Die Wärme unter dem amerikanischen Sweatshirt. Als ich am späten Vormittag aufwache,
die Zimmer bereits taghell.

Im Januar nach meinem dreißigsten Geburtstag liege ich tagelang in dem spärlich eingerichteten Berliner Zimmer, das ich für einige Wochen zur Untermiete genommen habe, und lese Zeitschriften. Die Temperaturen sind weit unter null Grad gesunken, ich trage Tag und Nacht denselben Wollpullover, den ich fünf oder sechs Jahre zuvor für einige Euro in der Knochenhauerstraße in Bremen gekauft habe. Wenn ich über die Spree zum Ostbahnhof gehe, um Brot und Saft und Pizzastücke bei *Ditsch* zu kaufen, höre ich das Geräusch der Eisschollen, die gegeneinanderstoßen und dann wieder auseinandertreiben. Nachts träume ich.

Ich lagere unbemerkt in der Stadt, kaum jemand weiß von meiner Anwesenheit. Die Wahrscheinlichkeit, dass ich auf der kurzen Strecke zum Ostbahnhof einem Bekannten, einer Freundin zufällig begegne, ist klein.

Ein einziges Mal fahre ich zur Volksbühne, ein Stück über die Liebe wird gespielt, einer rennt allein im Kreis auf einer fast leeren Bühne. In der U-Bahn kein Mensch, der immer gleiche, kalte Wind in der Köpenicker Straße, ich schiebe mit den Schuhen den Schnee vor mir her, esse eine *BiFi*-Wurst aus dem Automaten an der Heinrich-Heine-Straße.

In einer jener klaren, eiskalten Nächte A., der vor der Apotheke am Hermannplatz steht und wartet. Während wir zusammen auf der Karl-Marx-Straße stadtauswärts gehen, versuche ich, aus der Erinnerung Poe zu zitieren: *Ich war einige Monate krank gewesen, nun aber auf dem Weg der Besserung.* Auch er, sagt A., sei bis vor kurzem krank gewesen, er habe an Weihnachten amerikanische Essays gelesen. Er habe geträumt: Wir trugen Kränze, wir gingen

lange Flure entlang. Hinter uns saßen fünf internationale
Schüler der Malerei auf einem Sofa und rauchten Jazz-Ziga-
retten. Auf den Tresen standen Blumensträuße. Spätnachts
kehre ich zurück in mein Zimmer, ich lege alle Kleider ab und
schlafe sofort ein.

—

Ich kenne ein Gebiet, schreibe ich an C., dort stehe ich am
Rand einer Lichtung, auf der eine ganze Menge goldene
Pferde grasen, und als sie, aufgeschreckt durch das Geräusch
einer Wachtel im Gebüsch, an mir vorbeigaloppieren, springe
ich zwischen den Bäumen hervor, fasse eines der großen
Tiere an seiner flachsfarbenen Mähne und schwinge mich
auf seinen Rücken. Gelb gefiederte Safranfinken begleiten
uns auf dem Weg durch die Wälder, ich freue mich schon
aufs Abendbrot.

—

– Ständig führe ich diese Gespräche mit ihm, C., in meinem
Kopf, fange ein um das andere Gespräch mit ihm an, immer
neue Anfänge, auch noch im Halbschlaf. Und dann heute
Morgen, als ich aufwachte und der Himmel war schon ganz
hell, ein ganz feines Hell und ein bisschen dunstig, und davor
der Rauch aus den Schornsteinen auf den Häusern gegenüber, da habe ich ein zweites Buch von Peter Kurzeck zu
lesen angefangen, es beginnt damit, dass er Ende Januar 1984
bei der Frau, mit der er zusammenlebte, und ihrer Tochter
auszieht, ausziehen muss und in eine Kammer irgendwo in

Frankfurt zieht, und in der Mitte dieser Kammer, da steht
ein Klavier, ein abgeschlossenes, und er versucht also da
zu schlafen, *eine Abstellkammer,* schreibt er, *in der ich als
Fremder zu schlafen versuchte. Mit Vorsicht. Auf Widerruf.
Sozusagen in der dritten Person,* und dann dachte ich, ich
brauchte auch alles nur aufzuschreiben, für C., alles, das
Wetter und das Morgenlicht aus der Richtung des Sees und
wie die Hügellinie sich irgendwann leicht abzeichnet im
Dunst. Ich dachte, das würde dann reichen, die Beschreibung
dieses Morgens, zumindest mir würde es reichen, ich wäre
schon überzeugt, wenn ich mir vorstelle, jemand legte mir
eine solche Beschreibung in den Briefkasten. Und es war so
ein schöner Tag draußen, so hell, als würde alles ganz neu
beginnen. Das würde mir schon reichen. Meinerseits wäre ich
dann schon zu allem bereit.

—

*Als die Maschine der Air France den Flughafen verlässt und
endlich in den wetterlosen Bereich der Atmosphäre hochsteigt,
dringt die Helligkeit so unvermittelt in die Kabine, dass mein
Sitznachbar, der eben noch aus dem Fenster schaute, seine
Augen mit einem leisen Aufschrei bedeckt. Obwohl wir es
genau wissen müssten, sagt er, während seine Hände noch
immer schützend auf seinen Augen liegen, hätten wir doch
keine Vorstellung von dieser ständig scheinenden Sonne auf
10 000 Metern Höhe. Gerade noch habe er zugeschaut, wie
die Flughafenmitarbeiter im Regen auf den Rollfeldern von
Milano-Malpensa herumgestanden und mit ihren Leuchtstäben, ihren leuchtenden Instrumenten den Flugzeugen den*

*Weg durch das Halbdunkel gewiesen hätten, er habe an einer Cafébar im kühl beleuchteten Terminal einen Kaffee getrunken und die Reisenden betrachtet, die sich mit ihren Koffern, ihren Reiseutensilien Schritt für Schritt ihren Destinationen genähert hätten, er habe sie alle ausgesprochen hässlich gefunden an diesem Morgen, ihre Kleidung, ihre Haarschnitte, ja ihren ganzen Habitus, auch ihre Art, sich durch diese Flure zu bewegen, die Selbstverständlichkeit, mit der sie reisten, und am hässlichsten, sagt er, sei er natürlich, naturgemäß, sich selbst erschienen, als er sich kurz vor dem Einstieg ins Flugzeug über ein Waschbecken gebeugt und sich dabei im Spiegel gesehen habe. Und nun dieses Licht, sagt er und lacht fast geräuschlos, dieses stabile Blau. Als er sich mir dann zuwendet, sehe ich, dass er kühle, helle Augen hat.*

*Das Flugzeug befindet sich bereits im Anflug auf den Aéroport Nantes Atlantique, als er leise bemerkt, er habe auf einen wolkenlosen Tag gehofft, gern hätte er dieses Gebiet hier aus der Luft gesehen, den Verlauf der Loire, die westlichen Departements, vielleicht einige Inseln: Im Sommer 1849 habe ein Redakteur der Neuen Rheinischen Zeitung, Freiligrath, einen Brief an Karl Marx geschickt, als dieser bereits in Frankreich geweilt habe und die Produktion der Zeitung eingestellt gewesen sei, und wenn er sich nicht irre, sagt mein Nachbar, dann habe also Freiligrath Marx in seinem Brief mitgeteilt, ein gewisser Dr. Daniels halte das Departement Morbihan, in das die französische Regierung Marx verbannen wolle, für den »ungesündesten Strich Frankreichs, schlammig und fieberhauchend: die pontinischen Sümpfe der Bretagne«. Wenn er, Marx, der Anweisung Folge leiste, habe Freiligrath*

70

*geschrieben, werde er mit Sicherheit an Wechselfieber*
*erkranken, besser wäre es deshalb, er ginge nach England.*
    *Wie schön dieser Mann mit den kühlen, hellen Augen über*
*die Sümpfe spricht, denke ich, während die Flugbegleiterinnen*
*durch die Reihen gehen und die Kabine für die Landung*
*vorbereiten, und sofort bin ich schon zu allem bereit: Wenn*
*er mich jetzt fragte, sagte ich Ja zu allem, ich unter- oder über-*
*schriebe ihm alles, ich folgte ihm nach, sogar ins Departement*
*Morbihan.*

—

Im Literaturverzeichnis des ersten Bands des *Kapitals* zwei
Werke E. G. Wakefields: das zweibändige, 1833 erschienene
»England and America«, aus dem Marx im fünfundzwan-
zigsten Kapitel über die Kolonisationstheorie spöttisch zitiert,
und die 1849 erschienene Schrift »A View of the Art of
Colonization«. Außerdem der Hinweis, es sei eine Ausgabe
von Adam Smiths »Inquiry into the Nature and Causes of
the Wealth of Nations« mit einem Kommentar Wakefields
erschienen.

Zuvor, 1831, seine Schrift »Facts Relating to the Punishment
of Death in the Metropolis«. Die Mehrheit der Fakten,
alle Szenen des Horrors, die er auf den folgenden Seiten
darlege, schreibt Wakefield im Vorwort, habe er aus eigener
Beobachtung gewonnen, als er von Mai 1827 bis Mai 1830
in Newgate, dem großen Londoner Gefängnis, dieser *terra*
*incognita,* inhaftiert gewesen sei.
    (»Ah, genauso malt sich die Phantasie das Gefängnis zu

Zeiten der Barbarei aus«, notiert Flora Tristan 1840 über ihren Besuch in Newgate in den *Promenades dans Londres,* die sie später in *La ville monstre* umbenannte. Es mangle darin an Tageslicht, nur langsam gewöhnten sich die Augen an die Dunkelheit in den Räumen.)

Ich hatte die Gelegenheit, erklärt Wakefield im zweiten Kapitel, NURSERIES OF CRIME, mehr als hundert Diebe, zwischen acht und vierzehn Jahren, auf die unmittelbaren Gründe zu untersuchen, die sie zu Dieben werden ließen.

Sie beginne nicht spontan, die Laufbahn der Diebe, schreibt er, am Anfang stehe die Verführung, in Form von Essen beispielsweise, oder von anderen Vergnügen, und ein erfahrener Dieb blättere manchmal in wenigen Tagen bis zu zehn Pfund auf den Tisch, um einen Jungen zu korrumpieren, indem er ihn in die Spielhäuser entführe, ihm erlaube, bei den Feinbäckern, in den Fruchtläden und Kneipen extravagant zu essen und zu trinken. Um eine noch wirkungsvollere Form der Verführung handle es sich bei der frühzeitigen Erregung und Befriedigung der sexuellen Leidenschaft durch Frauen, die mit den Dieben zusammenspannten und den berauschten Jungen einflüsterten, das Stehlen sei der einzige Weg, dieses Leben der zügellosen Ausschweifungen weiter fortzuführen.

Oder, schreibt er, das Kind verkehrt bei den Leuten, den alten Frauen, die die Fruchtstände und Kuchenläden betreiben. Es freundet sich mit der Verkäuferin an und kauft Obst und Kuchenstücke, bis es eines Tages dann vorbeikommt, ohne

Geld bei sich zu tragen: Freundlich wird es eingeladen, sich trotzdem zu bedienen und von den feinen Dingen zu essen, und es verschuldet sich auf diese Weise, immer tiefer, bis es so weit ist, dass es vom Ladenbetreiber, von der Fruchthändlerin leichter Hand zum Diebstahl angestiftet werden kann.

Bald, schreibt Wakefield, wird der junge Dieb das Nichtstun und den Luxus der Arbeit und den einfachen Speisen vorziehen. Er verlässt seine Verführerin, die Obsthändlerin, *his original seducer, with whom he is no longer willing to share the fruits of his plunder.*

(Auch wohlerzogene Boys, die Söhne anständiger Geschäftsleute mit guten Aussichten auf ein arbeitsames und ehrliches Leben.)

—

Ellen West vor einer mit 20 Orangen gefüllten Schale.

Das Kindermädchen betritt das Zimmer mit Zuckerwasser, um EIRAM ESIUL zu trösten.

Ich auf dem Balkon über der Limmat, mit der Birne in der Hand, still willing to share the fruit.

—

Früher Morgen, noch dunkel, dann das erste Licht vom See her. Das war die erste ganz kalte Nacht des Jahres, sagen sie im Radio. Gestern spät noch mit Natalie am großen Fenster im Piazza gesessen: Sie trug schöne, aus kleinen

Perlen gewobene Ohrringe, aus der Küche wurden gebratene Schnitzel hereingetragen. Hin und wieder betrat jemand den Raum, die Kapuze tief im Gesicht, die Augen von der Kälte gerötet. Irgendwann nach Hause gelaufen, Zurlindenstraße, Brahmsstraße, kein Mensch, dann sofort eingeschlafen.

—

Wakefield:

John Williams, ein dreiundzwanzigjähriger Mann, wegen Diebstahls zum Tod in Newgate verurteilt, klettert am Morgen des 19. Dezember 1827, dem Tag seiner Hinrichtung, das Rohr einer Zisterne hoch – vielleicht, wie manche spekulieren, um sich in der Zisterne zu ertränken, viel wahrscheinlicher aber, weil er hofft, seinem Urteil auf diesem Weg doch noch zu entkommen. Williams stürzt in den gepflasterten Hof und verletzt sich schwer an den Beinen. Obwohl alle wissen, dass er noch an diesem Tag gehängt werden soll, kümmert sich ein Arzt sorgfältig um ihn. Als man ihn zum Galgen trägt, beginnt das Blut wieder aus seinen Wunden zu fließen: Es ist ganz deutlich zu sehen.

Gegen Mittag Telefonat mit A. Möwen kreisen über dem Flachdach des Nachbarhauses. Die Heizung bringt die Luft zum Flirren. Der Bericht über die Verhältnisse in Newgate und die Implikationen der Todesstrafe, sage ich, endet mit dem Kapitel *TRANSPORTATION TO THE COLONIES*: In der Mehrheit der Fälle wurden die Todesurteile nicht vollstreckt, die Sträflinge stattdessen in die Kolonien, nach New South Wales, nach Van Diemen's Land verschifft.

Die Gefangenen von Newgate, die eine solche Verbringung erwarte, seien getrennt von den anderen Insassen
untergebracht, schreibt Wakefield, und sie seien sorgloser,
fröhlicher: Die Berichte aus den Kolonien, wo der Wert der
menschlichen Arbeit nämlich jeden Preis übersteige und also
jeder aus dem Mutterland überstellte Verurteilte geradezu
umworben werde, diese Berichte, die unter den Gefangenen
zirkulierten, lauteten durchaus verheißungsvoll.

Und immer wieder habe er in Newgate mit eigenen Augen
gesehen, wie einer, nachdem er erfahren habe, dass er in die
Kolonien verbracht werden solle, sich plötzlich wieder erholt,
einen Appetit entwickelt, Heiterkeit an den Tag gelegt habe.

—

Gegen vier Uhr morgens wache ich auf und draußen ein
oranges Licht, alles seltsam beleuchtet, und ich denke daran,
wie die Hochöfen der Tevershall-Grube nachts den Himmel
rot färben bei *Lady Chatterley*, auch an den Lichtschein
über dem Krater des Stromboli im Sommer vor einigen
Jahren, aber dann sehe ich, dass Schnee gefallen ist, und der
reflektiert jetzt das Licht, er wirft es auf und stellt diese neuen
Verhältnisse her.

Ich möchte, schreibe ich noch in dieser Nacht an C., dich
gern zum Essen einladen, ich kann eine hingebungsvolle
Gastgeberin sein, ich serviere drei Gänge, und zum Schluss
reiche ich Käse und frische Feigen oder wir begeben uns,
plaudernd und rauchend, zum Papayabaum, wo ich die

reifste Frucht direkt vom Stamm der Pflanze löse und mit einem Längsschnitt öffne, sodass die von hellem, süßem Fruchtfleisch umgebenen schwarzen Samen zutage liegen und mit einem Löffel entfernt werden können.

—

Wie die amerikanischen Anwälte vor Gericht »Strike that!« sagen, um eine Frage oder eine Feststellung zurück-zunehmen, die sie zuvor, die Grenzen des Möglichen aus-lotend, geäußert haben.

Wie weit ich mich auf die Äste herausgelassen habe mit meinen Erklärungen, meinen Einladungen an C., für den eine Frucht nichts anderes zu sein scheint als ein Ding, das an einem Ast hängt oder in einer grünen Kiste im Supermarkt liegt.

Knock, knock,
ich sehe etwas, was du nicht siehst,
es ist ein Ding, dessen Saft mir beim Essen übers Kinn und meine Brüste läuft,
oh mein Gott, ich will gleich noch eins.

Strike that.

—

Australian Dictionary of Biography, Volume 2, 1967: Seine Befragung der Gefangenen während seiner Zeit in Newgate habe Edward Gibbon Wakefield (1796–1862) überhaupt erst dazu geführt, sich der Emigration nach den Antipoden und der vordringlichen Frage zu widmen, wie in den Kolonien Lohnarbeiter zu fabrizieren seien.

In den Kolonien, schreibt Marx, entdeckte Wakefield, dass der Kapitalist, um ein solcher sein und bleiben zu können, den Arbeiter als Ergänzung braucht, dass also Herr Peel, der an das Ufer des Swan River in Neuholland ein Kapital von 50 000 Pfund und dreihundert Personen der Arbeiterklasse mitbringt – Männer, Frauen und Kinder, die sich kurz nach ihrer Ankunft verziehen in das weite, verheißungsvolle Land hinaus –, dringend angewiesen ist auf den Lohnarbeiter, der so frei ist und ihm das Wasser aus dem Fluss schöpft.

Als Herr Peel, schreibt Wakefield, mit den aus England mitgebrachten Gütern Cockburn Sound erreicht, kann er mit einigen Schwierigkeiten gerade noch Arbeiter auftreiben, die diese Güter unter einem schützenden Zelt platzieren, aber weil er keine Leute findet, die bereit sind, den Weitertransport zu übernehmen, bleiben die Sachen dort, bis sie verdorben sind; das Zelt verrottet.

»Unglücklicher Herr Peel, der alles vorsah, nur nicht den Export der englischen Produktionsverhältnisse nach dem Swan River!«

Weil eine Baumwollspinnmaschine ist eine Maschine zum Baumwollspinnen, schreibt Marx, zu Kapital wird sie erst in bestimmten Verhältnissen, voilà: Das Kapital ist nicht eine Sache, sondern ein durch Sachen vermitteltes gesellschaftliches Verhältnis zwischen Personen.

—

Durch den Innenhof der Haftanstalt geht ein Junge, zwischen acht und vierzehn Jahren, zwei brennende Kerzen in den Händen. In den Fenstern stehen die Diebe und erwarten ihre Verbringung. John Williams legt seine Hände um das Rohr der Zisterne. Am Ufer des Indischen Ozeans verrottet langsam das Zelt von Mr. Peel.

Und Wakefield. Am Morgen des 6. März 1826 trifft er im Albion Inn in Manchester ein, gibt sich den Decknamen Captain Wilson, frühstückt mit seinem Bruder und seinem Diener, einem Franzosen, kauft eine Kutsche, eine gebrauchte grüne Kutsche, und bricht mit seinen Begleitern um zwei Uhr morgens Richtung Liverpool auf, um dort die fünfzehnjährige Ellen Turner, Erbin und einziges Kind des William Turner of Shrigley Park, unter Vorwänden in diese falsche Kutsche steigen zu lassen, sie nach Schottland zu transportieren und dort, in Gretna Green, ihres Vermögens wegen zu heiraten.

*Trial of the Wakefields*, Befragung des Vaters (William Turner):

Ich werde Ihnen nun der Form halber einige Fragen

stellen, bitte entschuldigen Sie, dass ich Sie so befrage.

Sind Sie im Besitz von Grundeigentum in der Grafschaft Chester? – Ja, das bin ich.

Ich wünsche keine Einzelheiten zu wissen; verstehen Sie mich nicht falsch. Ist dieses Eigentum beträchtlich? – Das ist es.

Nun, nebst dem Mobiliar – ich spreche nicht von Einzelheiten –, aber nebst dem Mobiliar, das zu Ihrem Haus gehört, sind Sie im Besitz von beweglichem Privateigentum? – Ja, das bin ich.

Also, noch einmal ohne in die Einzelheiten zu gehen, und verstehen Sie mich richtig; – ist dieses beträchtlich? – Ja, das ist es.

—

Im NEWGATE CALENDAR, in dem sich unter den Bigamisten, Ehebrechern und Entführern von *maidens* auch Wakefield findet: Ann Marrow, die im Jahr 1777 an den Pranger gestellt wird, weil sie vortäuschte, ein Mann zu sein, als solcher drei Frauen heiratete und ihnen auf diese Weise Geld und Wertsachen abnahm. Die Verachtung des Publikums, heißt es im Kalender, die Verachtung insbesondere des weiblichen Teils des Publikums ist so groß, dass Marrow auf dem Pranger so heftig beworfen wird (mit Steinen und Dreck vermutlich), dass sie das Augenlicht vollständig verliert.

—

Meine unbeholfenen Ausführungen, als mich auf der Straße vor der Mars Bar jemand fragt, woran ich arbeite.

DIE EROBERUNG DER NATUR ODER DER JUNGFRAU
DAS GEWALTSAME VORDRINGEN IN NEUE GEBIETE
(ÜBERSEE)
DER HUNGER ALS VERFASSUNG
DIE LIEBE usw.

—

Gestern Nacht entwarf ich eine weitere Nachricht an C., sage ich zu A., ich schlief dauernd ein dabei, und als ich Stunden später wieder aufwachte, war es schon hell geworden. Ich lag am Fenster und sah zu, wie der Schnee, vom Wind beschleunigt, in hohem Tempo auf mich zustürzte, als bestürmten mich die Flocken lautlos, als wären sie alle Trägerinnen ein und derselben Nachricht, die sie so lange inständig wiederholten, bis ich sie schließlich entschlüsselt haben würde.

—

Wie Don Diego de Zama, königlicher Beamter im Dienst des spanischen Imperiums, laut Benedetto im Jahr 1790 die Natur in der Gegend von Asunción betrachtet: Sanft sei sie und kindlich; er, Zama, laufe Gefahr, von ihr gefangen genommen und auf trügerische, lange nachhallende Gedanken gebracht zu werden, vor allem in jenen Momenten der Mattigkeit, wenn er kaum halb wach sei.

—

In jenem Augenblick, sage ich zu A., als ich heute früh
hinaus auf das Nachbarhaus und die schneebedeckten
Wiesen schaute und über die Natur nachdachte, über die
Natur, ihre Entdecker und Unterwerfer, über die Natur
als Frau, über die Frau zwischen Mann und Natur, sah
ich ein, dass ich die Wachteln und die tropischen Schildkröten, diese gestrigen Bilder der feucht-schwülen Wildnis
verwerfen muss; dass ich nicht auf sie zurückfallen kann,
um C. jenen Ort zu beschreiben, an den ich ihn entführen
möchte.

Wie wäre es stattdessen mit Brinkmanns *südlicher Konstruktion*, schlägt A. vor. Oder, sage ich: Ich kenne den
Zugang zum Deep Web, ich schreibe jetzt mein eigenes
Transmission Control Protocol, ich wähle zufällige Routen,
passiere Portale, ohne meine Daten zu loggen, ich habe
meine eigenen Server, bin dort ein User mit Myriaden von
Namen, ich bin ein U. S. Air Force Master Sgt. aus Wyoming
mit traurigen grauen Augen, ich bin ein Tier, nur ein Tier,
das kommt, bin *so hrny*, heiße *Pastor_Ryan*, bin female, 28
years, from Bexley GB, meine Brüste sind so schön, ich mach
mich frei, falls ich will, für eine variable Buchstabenfolge,
bewege mich ohne Probleme auf dem weiten Feld der dis-
kreten Strukturen,

denn meine Mutter konnte Code (»Derevaun Seraun!«),

ich will den privaten crypto key zu Caps Lock ALLEM.

—

Mr. Carr, was sind Sie? – Ein Kutschenmacher.

Wo? – In Manchester.

Erinnern Sie sich daran, dass zwei Gentlemen am 6. März,
einem Montagmorgen, in Ihre Werkstatt gekommen sind?
– Ja.

Wer war das? Sehen Sie sie jetzt – sehen Sie die Herren?
– Ja.

Mr. Edward Wakefield? – Ja.

Kam Mr. William Wakefield mit ihm? – Ja.

[…]

Sagte Mr. Edward Wakefield etwas zu Ihnen? – Ja.

Was sagte er? – Er sagte, er wolle eine gebrauchte Kutsche
kaufen.

Welche Tageszeit war es? – Kurz nach zehn Uhr morgens.

Mr. Edward Wakefield sagte, er wolle eine gebrauchte
Kutsche kaufen? – Ja.

Fragte er, ob Sie eine hätten? – Ja.

Haben Sie ihm eine gezeigt? – Ja.

Nun, welche Farbe hatte sie? – Grün.

Dunkelgrün oder hellgrün? – Ein dunkles Grün.

(Trial of the Wakefields, Evidence of Mr. William Carr.)


Ist Miss Turner in die Kutsche gestiegen? – Ja, das ist sie.

Machte sie eine Bemerkung über die Kutsche? – Ja, sie
sagte, das sei nicht die Kutsche ihres Papas.

(Trial of the Wakefields, Evidence of Miss Elizabeth
Daulby.)

—

In einer Kutsche rase ich durch England, ich höre das
Geräusch der beschlagenen Hufe der eilenden Pferde in der
Nacht, sehe den Rücken des französischen Kutschers auf
seinem Sitz. Ich öffne meinen Mantel, dann meine Jeans
und fahre mit meiner Hand zwischen meine Beine in die
Wärme, zum warmen Ursprung der Welt, wie ein Maler,
dessen Werk ich ausgiebig studierte, es nannte, und es wird
mir alles ganz angenehm, ich stifte mich an, ich wiegle mich
auf, schaukle mich hoch, sehe zu, wie sich alles zuspitzt, ich
lasse mich gehen, durch ganz England lasse ich mich gehen,
und alles, was wir passieren, gehört mir, die Häuser und die
Straßen, die Automobile und die Tiere, die Neonlichter an
den Fassaden der Hauptstraßen, die Spielhäuser, Fruchtstände und Kuchenläden des Landes, die auslaufenden
Schiffe, die großen Weltmeere, ich gebe mir alles, kann mir
jetzt alles geben, alles ist mir untertan, insbesondere aber der
Franzose, der die Pferde lenkt, mein kleiner französischer
Diener, obwohl ich gerade erst fünfzehn bin, was habt ihr
denn gedacht.

In zwei Jahren heirate ich einen reichen Nachbarn. Und in
vier Jahren schon bin ich tot.

# New World Plaza

Gestern im Kino Éric Rohmers Film »La Collectionneuse«: Haydée Politoff, die Steine nach den Hühnern wirft.

Durch strömenden Regen nach Hause.

—

Mit C. auf dem Balkon, ein Sonntagnachmittag, nichts passiert, niemand rührt sich, nur die Februarsonne geht langsam unter. Wir trinken Wein aus dünnwandigen Gläsern. Als wir bereits im Schatten sitzen, hinter C.s rechter Schulter noch die im Abendlicht golden leuchtenden Fenster der Häuser am Hönggerberg.

Bei Wolfram einen Eintrag gelesen, der mir sofort als wahnsinnig passende Beschreibung dieses Dokuments und meines Herumfuhrwerkens darin ins Auge springt.

S. 676:
*Hyper U, mit Einkaufszettel*

*ich laufe immer hin und her, bin über eine Stunde darin*

*Wo ist Zucker, ich find's nicht*
*  Zucker!*

Vor allem, weil ich ja irgendwie auch mit dem Zucker angefangen hatte, mit der Zuckeresserin bei Akerman, den karibischen Zuckerrohrfeldern, mit Adam Smiths Fingern in der Zuckerschale, und jetzt langsam wieder darauf zusteuere.

—

Als ich heute Mittag nach Hause komme, sehe ich, dass der Fahrstuhl steckengeblieben ist, und zwar auf meiner Etage: Die Türen sind etwa zur Hälfte geöffnet, und innen drin scheint noch das Licht, aber der Boden der Kabine liegt etwa einen halben Meter tiefer als der davorliegende Flur. Sofort der ganz unsinnige Gedanke, ich sei in der vergangenen Nacht spät und betrunken nach Hause gekommen und hätte dann die Fahrstuhltüren von innen, mit der überraschenden Kraft der Betrunkenen, aufgestemmt und sei durch den Spalt aus dem Fahrstuhl gestiegen.

Ähnlich: Die Erinnerung an etwas, das ich vor drei oder vier Tagen getan habe, ständig begleitet von dem Gefühl, nicht ich, sondern eine andere Person sei die Protagonistin dieser Handlung gewesen – die Frau, die nachts um zwei einen Dokumentarfilm über den Lawinenwinter 1999 schaut; die Person im schwarzen Mantel, die im Foyer des Schauspielhauses wartet; die kurz nach dreiundzwanzig Uhr auf die Duttweilerbrücke fährt.

Diese Verwirrung, die das Schreiben stiftet, statt für Klärung zu sorgen: Darum auch der Fahrstuhl, der einen halben Meter tiefer hält. Während ich ächzend herauskraxle, sehe ich aus dem Augenwinkel, was unter dem Fußboden, was zwischen den Etagen liegt.

Wer ist überhaupt diese Wahnsinnige, die da aus dem Fahrstuhl steigt mit einem fadenscheinigen Cape um die Schultern?

Der leere Fahrstuhl in der Nacht, die Türen einen Spaltbreit geöffnet, in seinem Inneren beleuchtet das Licht die kulissenhaften mattgrünen Wände:
Schauplatz meiner nächtlichen Eskapaden.

—

Wie ich einmal mit dem Briefkastenschlüssel Initialen in die rot gestrichene Wand neben dem Fahrstuhl ritze. Da bin ich schon dreißig Jahre alt.

—

In der Mappe der »Zucker«-Notizen, die ich heute heraussuche, auf einem karierten A4-Papier, das zwischen anderen Blättern mit Stichworten zu Zuckerrüben, Saccharose und den karibischen Plantagen liegt, meine handschriftliche Bemerkung
*Lottokönig war s. dünn*

Erst nach einer Weile verstehe ich wieder, dass es mir mit dieser Feststellung nicht allein um die Physis des Lottokönigs gegangen sein konnte, ich wollte mich mit meiner Notiz wohl auch daran erinnern, dass die Tatsache seiner Dünnheit eventuell auf eine Form von Hunger- oder Mittellosigkeit hinweist.

Dünn, groß,
  helle, kühle Augen.

—

Ein Bild zeigt ihn, Werner Bruni, Lottogewinner, vor einem Waschbecken kniend, im Hintergrund eine Toilette. Er trägt Arbeitskleidung, das Haar zurückgekämmt, auf den Fliesen vor ihm liegt eine Zange.

Als fiele Licht durch ein sehr hoch oben zu seiner Rechten liegendes Fensterchen, jene Art gebündelten Lichts, das z. B. in Kapellen zu beobachten ist, sind Teile seines Körpers hell beleuchtet.

In den Händen ein weißes, verzweigtes Abflussrohr.

—

Werner Bruni (»Die furchtbare plötzliche Freiheit«, 9. April 1980):

– Sie haben mir gesagt, dass Sie nicht mehr ins Restaurant gehen. – Ja, zumindest nicht mehr so wie vorher. Es ist nicht mehr interessant. Man kann nicht mehr mit den Arbeitern, mit denen man zuvor zusammensaß, mit denen kann man nicht mehr diskutieren, das ist einfach … Die schauen einen schon wieder an als schwarzes Schaf.

– Dann haben Sie also Freunde und Bekannte verloren durch den Lottogewinn? – Ja, einen schönen Teil, ja.

—

Auf dem Bildschirm der Mund des Lottospielers, der sich langsam öffnet und schließt. Mir fällt nichts dazu ein jetzt, gar nichts, trinke stattdessen den Weißwein, der im Kühlschrank steht.

—

Ich erinnere mich, dass jemand vor einiger Zeit vom *Kriegstheater* sprach, es könnte A. gewesen sein, der erzählte, dass noch im vorletzten Jahrhundert die Kriegsschauplätze der Welt als »Theater« bezeichnet worden seien, genauso wie die Szenerien, die großen Anlagen und Aulen der Natur, die von einer stets wiederkehrenden Sonne eine Weile lang beleuchtet und dann wieder verlassen wurden.

—

Mein eigenes, kleinstes Theater der Natur und des Krieges und der Welt überhaupt zeigt seit einigen Jahren nur eine einzige Szene, in äußerster Dehnung der Zeit: die Versteigerung der zwei Figuren aus Ebenholz oder schwarzem Stein für fünfunddreißig Franken im Saal eines Gasthauses am Südufer des Thunersees.

Die Hauptfigur des Stücks, der Spieler und Arbeiter B., den die Lotteriegesellschaft sechs Jahre zuvor zum König krönte, tritt nicht in Erscheinung. Es ist seine Abwesenheit, die die Szene befeuert: Die Komparsen sind herbeigeströmt, um den Sturz desjenigen zu feiern, der seinen Aufstieg aus ihren Kreisen nur einigen glücklich gewählten Zahlen verdankte: 11, 40, 29, 2, 33, 15, Zusatzzahl 31.

Als könnte ich den dunklen Zuschauerraum dieses Theaters erst verlassen, wenn ich auf diesen Seiten, erzählend, eine Form von Erlösung erwirkt habe, so erscheint es mir nun manchmal.

Das ohrenbetäubende Kreischen der Halbtoten, Wiedergänger.

—

– Ist aber die Behauptung falsch, dass du einfach nicht imstande bist, das zu tun, was man gemeinhin unter »Erzählen« versteht?
– Nein, das ist richtig.
– Was hindert dich daran?
– Na ja, es ist doch ganz einfach so, dass immer alles Mögliche geschieht, während ich da an meinem Schreibtisch sitze, ich höre die Stimmen der Leute auf dem Flur, wie sie aus der Mittagspause zurückkehren, und draußen fährt ein doppelstöckiger Intercity aus der Stadt hinaus, Leute in orangen Westen gehen mit Zollstöcken auf dem Dach des Nachbargebäudes umher, und jemand schickt mir eine Nachricht

aus Antigua Guatemala, und das muss dann natürlich alles auch erzählt werden, weil das ja die Bedingungen sind, unter denen der Text entsteht, also die Verhältnisse, in denen ich schreibe. Aber es ist mir eben ganz unmöglich, diese Dinge in ihrer Gleichzeitigkeit in den Text zu bringen.

– Aber so, wie du es jetzt sagst, in dieser Aufzählung, verstehe ich es ja doch als etwas Gleichzeitiges.

– So, wie ich es jetzt sagte, gefällt es mir nicht. Das halte ich für Stillosigkeit, wenn ich so etwas in einem Text lese.

Ich habe, als Beispiel, monatelang immer wieder denselben Satz aufs Papier gesetzt, der sagt, dass ich auf einem Parkplatz an der amerikanischen Ostküste stehe und bánh da lọn esse. Also: »Ich stehe auf einem Parkplatz« und so weiter. Und damit wollte ich natürlich sagen, dass jemand da steht und isst, ja, und gleichzeitig natürlich der »amerikanische Parkplatz«, den kennen wir ja aus den Filmen, schon tausendmal gesehen, und dann die »amerikanische Ostküste«, so groß, das macht gleich alles auf, dieser ewig lange Küstenstrich und davor der Ozean, aber es macht auch einige Dinge zu, wenn man an die gegenwärtige Politik denkt oder auch wieder an gewisse Filme oder Bücher, die ja so langweilig sind. Solche Dinge stecken da vielleicht drin, in diesem Satz. Aber ich dachte ihn eben gleichzeitig auch vor dem Hintergrund oder mit einer Fußnote von Merleau-Ponty in den Neunzehnvierzigerjahren, der schreibt, dass das Wort »hier«, auf den eigenen Körper angewandt, eben nicht eine Ortsbestimmung im Verhältnis zu anderen Orten, an denen sich der Körper auch aufgehalten hat, oder zu anderen Koordinaten sei. Sondern dass das Wort »hier« in diesem Sinn eben immer die »Festlegung der ersten Koordinaten überhaupt« bezeichne.

Mein Satz sollte also zugleich auf diese Weise HIER sagen, HIER fängt es an, und dieses HIER aber zugleich anzweifeln, weil es sich eben um einen Satz in der Literatur handelt, den ich geschrieben habe, und weil es sich bei dem Körper des Ichs, das HIER sagt, also um eine Fiktion, um eine Behauptung handelt. Dazu kommt, dass die Rede von den »ersten Koordinaten« eine zweite Bedeutung gewinnt auf diesem Parkplatz, der ja in der sogenannten Neuen Welt liegt, da sehe ich gleich Kolumbus, der da zwischen den Autos steht in seiner bunten, lächerlichen Uniform und eine Semmel isst. Ich habe kürzlich, als ich im Internet diesen Platz noch einmal betrachtete, und das ist irrwitzig, finde ich, ich habe gesehen, dass da eine Tafel steht, auf der der Platz als »New World Plaza« angeschrieben ist.

Ja, und dann fällt mir zu Merleau-Ponty ein, dass Iris Marion Young in »Werfen wie ein Mädchen« schrieb, die Frau, die Frau in Anführungszeichen, denke ich, »die Frau« erlebe sich selbst als in den Raum »hineingestellt«, ihr Körper sei ein »Ding wie andere Dinge in der Welt«, ein »Ding, das existiert, indem es *angeschaut wird*«. Also eine Feststellung, die sagt, für eine Frau, was das auch immer heißen soll, gibt es eben diese ersten Koordinaten so nicht, oder besser: Die ersten Koordinaten fallen nicht mit ihrem Körper zusammen, weil sie sich immer auch von außen sieht. Was bedeutet das jetzt, wenn es stimmt, und Vögel fliegen vorbei, und dann kommt die Abenddämmerung, was ist das jetzt wieder für ein Gefühl und so weiter.

– Man könnte ja auch sagen, das ist eine völlige Überfrachtung, eigentlich eine Zumutung.

– Richtig. Diese Sätze, das muss ich selbst einsehen, werden

nie diese Art von reiner, strahlender Klarheit erreichen,
die sich aller zusätzlicher, aller verworrener Bedeutungen
entledigt hat. Es handelt sich eher um flackernde, schwierige
Konstruktionen, denke ich, um dunkle Strudel, in denen sich
mit ohrenbetäubendem Lärm alles, also auch alles Periphere,
für immer um ein instabiles Zentrum dreht. Und immer
wird noch mehr mit hineingerissen.

—

Ich stehe also auf einem Parkplatz an der amerikanischen
Ostküste und esse *bánh da lợn*. (März 2016)

Neben mir ein blauer Honda Accord, auf dem Autodach
die Kuchenschale, im Gepäck die mit »Zucker« beschriftete
Mappe. Dämmerung. Einige Meilen entfernt fließt der
Delaware River unter mächtigen Brücken hindurch auf den
Atlantik zu. Der Fluss weitet sich zu seiner Mündung hin
aus, das flache Gelände in Küstennähe wird zum Sammelplatz für nördlich wandernde Nachtreiher und Strandläufer,
die atlantische Zugstraße der Schneegänse führt an diesen
Marschen vorbei, Pfeilschwanzkrebse erscheinen in Zyklen
zu Tausenden an Land.

Das Licht zieht sich jetzt in westlicher Richtung zurück,
hinterlässt den Atlantischen Ozean, diesen historischen
Korridor, als dunklen Pool in der Nacht, an seinem Rand
liegen künstlich beleuchtete Metropolen, Hafenstädte,
unbewohnte Sommerhäuser. Passagierflugzeuge verlassen
die Flughäfen der Ostküste in kurzen Abständen Richtung
Europa.

Im Innern des Wagens leuchtet das Display eines Telefons, draußen PHỞ HÀ, New World Vision Center Contacts & Eyeglasses, 1 HOUR PHOTO, Video & Music, Washington Pharmacy: Lottery – Cigarette – ATM

Damals weiß ich nicht, dass der Parkplatz, auf dem ich stehe, den Namen NEW WORLD PLAZA trägt.

—

Im Halbschlaf seltsame Rekapitulationen: Über den Großen Antillen steigt eine Sonne in die Höhe, eine steht jetzt im Zenit über den westafrikanischen Metropolen, eine zieht sich zurück aus Isfahan, aus Hyderabad, eine beleuchtet noch für kurze Zeit die Bäume in den Parks der Präfektur Tokio. Ich sehe uns in der Dämmerung auf einem Parkplatz stehen, die Autotüren geöffnet, ich sehe den andauernden Tagesanbruch auf einem transatlantischen Linienflug, eine Hand reicht mir einen Orangensaft, ich sehe uns immer wieder, erst im Licht und dann im Dunkel.

—

– Es ist mir eigentlich unangenehm, mich jetzt so weit ins Persönliche hineinzubegeben. Aber dass ich mich sowieso immer in alles mit hineintrage oder mich eben, anders gesagt, nie loswerde, das ist eine Tatsache, und ich kann dir in diesem Zusammenhang eine Anekdote erzählen, die mir jetzt zumindest im Nachhinein ganz aufschlussreich erscheint.
– Gut.

– Es ist auch eine jener Geschichten, die man, sobald man sie erzählt, selbst nicht mehr ganz glaubt. Obwohl sie nun auf jeden Fall ganz banal ist.

– Das ist auch in Ordnung.

– Ich ging also vor einigen Wochen durch das Untergeschoss des Hauptbahnhofs, ohne dass ich überhaupt einen Zug nehmen wollte, ich war vom Central her gekommen und durch die Unterführung gegangen, um nicht so lange an der Ampel zu stehen, außerdem war ich sehr hungrig und kaufte mir dort im Untergeschoss deshalb ein Schinkenbrot. Und dann traf ich vor der Buchhandlung Barth, die ich ja häufig besuche, ganz unerwartet auf den Direktor des Archivs, das den Nachlass von Max Frisch betreut.

– Seid ihr euch bekannt?

– Zu Studienzeiten, und das ist ja nun schon über zehn Jahre her, dass wir beide im gleichen Institutsgebäude ein und aus gingen, rauchten wir manchmal Zigaretten zusammen, auf der Leipziger Demmeringstraße, dort, wo sie einen Bogen macht, bevor sie auf den Lindenauer Markt trifft. Ich schlief damals nicht viel, abends ging ich in Kneipen oder auf Feste von Freunden von Freunden, die ich selbst nicht kannte. Ich erinnere mich daran, wie ich manchmal mit dem Fahrrad nach Hause fuhr und schlenkerte, weil ich so sturzbetrunken war, und später auf dem kalten Fußboden neben der Toilette einschlief. Und du weißt ja, dass dieses Haus, in dem ich damals wohnte, dass das noch mit Kohle beheizt wurde, und die Toilette, die früher auf halber Treppe gewesen war, hatte jemand in die ehemalige Vorratskammer gebaut, das war ein kleiner Raum, der der Küche wie eine Art Erker vorstand, der war also sehr exponiert und sehr kalt im Winter, und ich weiß noch sehr gut, wie sich das anfühlte, da aufzuwachen, und die ganze Oberfläche des Körpers war sehr kühl.

Auf jeden Fall habe ich ihn danach jahrelang nicht mehr gesehen, bis er hier sein Amt als Direktor antrat, das las ich dann in den Zeitungen, und Bekannte aus Deutschland hatten mir auch schon davon berichtet.

Wir begrüßten uns, und er fragte ziemlich direkt, woran ich zurzeit arbeitete, und ich sagte, eigentlich ohne zu überlegen, sagte ich, obwohl das ja gar nicht stimmte, das Manuskript, an dem ich arbeite, trage den Arbeitstitel »Montauk 2«. Es interessiere mich die Frage, sagte ich – und du musst dir vorstellen, dass ich da ja immer noch mit dem Schinkenbrot in meiner Hand vor den Auslagen der Buchhandlung stand und von den Passanten und den Zugreisenden, die mit ihrem Gepäck und ihren Einkaufstaschen an uns vorbeigingen, immer stärker in die Richtung des Direktors gedrückt wurde –, ich sagte also, es interessiere mich dabei, was das in meinem Falle sein könnte, das *un-befangene Wesen*, das Frisch ja seinerseits, wenn man das Motto, das er seinem Buch voranstellt, ernst nehme, in seiner amerikanischen Erzählung zu enthüllen behauptet.

– Ich kann mich nicht daran erinnern.

– Es ist eine Passage aus Montaignes Vorwort zu seinen *Essais*, und es heißt darin, es handle sich um »ein aufrichtiges Buch«, in dem der Leser die Fehler des Verfassers finden könne und dessen »unbefangenes Wesen, so weit es nur die öffentliche Schicklichkeit erlaubt«. Den direkt auf diese Stelle folgenden Satz überspringt Frisch übrigens, um dann zu schließen mit Gott und dem Datum, 1. März 1580, und das ist ein Satz, den Frisch auslässt, der sich ganz eigentlich auf dieses *unbefangene Wesen* bezieht, weil er nämlich lautet: »Und hätte ich mich unter jenen Völkern befunden, von denen man sagt, daß sie noch unter der sanften Freiheit der ersten Naturgesetze leben, so versichere ich dir, daß ich mich darin sehr gerne ganz und gar abgebildet hätte, und splitternackt.«

Da stand ich also, und der Direktor musterte mich und auch das Brot, das ich in meiner linken Hand hielt. Ich war wirklich hungrig, aber ich wartete sehr beherrscht, er musterte mich mit einem Ausdruck milder Überraschung, dann lächelte er freundlich, er ist ja auch ohne Frage ein sehr freundlicher Mensch, und meinte, während er sich bereits langsam entfernte, dass mir das Archiv natürlich jederzeit offen stehe.

– Das ist die ganze Geschichte?

– Ja.

– Du hast vorhin gesagt, diese Anekdote könne Aufschluss geben.

– Natürlich, ja, ich denke, das liegt auf der Hand. Du weißt ja, dass ich es nie für geraten gehalten habe, meine eigene Person unmittelbar im Text vorkommen zu lassen, das sagt mir auch jetzt nicht zu, aber da stehe ich dann ja doch mit dem Schinkenbrot. Und es ist im Prinzip auch egal, ob es dieses Brot nun tatsächlich gab oder nicht und so weiter, ehrlich gesagt, hat sich die ganze Geschichte ja so gar nie ereignet, aber in Gedanken passiert das jedenfalls sehr häufig, dass ich irgendwo stehe und das Gefühl habe, ich halte so eine Stulle in der Hand in den unpassendsten Augenblicken, es muss auch gar keine Stulle sein, es könnte ein Eimer sein, der mit einer trüben Flüssigkeit gefüllt ist. Oder so: Ich habe so eine

Jacke, eine sehr schöne Jacke, wie ich finde. Die habe ich vor zehn Jahren in einem Kaufhaus am Frankfurter Tor gekauft, und seither trage ich sie jeden Winter, und obwohl die gar nicht teuer war, weil ich mir das damals gar nicht hätte leisten können, einen teuren Mantel, ist sie aber immer noch sehr schön, nur innen ist der Futterstoff an vielen Stellen aufgerissen und das Material, mit dem die Jacke gefüttert ist, quillt heraus und ist irgendwie schmutzig und verfilzt. Also das könnte es auch sein, dass ich eben da stehe in meiner Jacke mit dem zerschlissenen Futter, irgendwie deplatziert, also befangen und so weiter, das wäre das Gleiche.

Also, was ich sagen will: Ich nehme das alles sehr persönlich. Weil, die Situation ist immer diese: Ich stelle irgendwelche Überlegungen an und gehe in die Bibliotheken, aber zur gleichen Zeit drängen sich mir die Fragen ja geradezu körperlich auf, vor den Auslagen in der Bahnhofsunterführung et cetera.

—

Nacht für Nacht stehe ich nun wieder auf jenem Parkplatz in Philadelphia und esse gedämpften Kuchen, es ist März, noch sind die Abende kühl. Aus dem Auto ist leise Musik zu hören, der Mann am Steuer, ein junger Amerikaner, richtet den Rückspiegel, lässt den Motor an. Später Werften, aufgelassenes Industriegebiet, Zubringerstraßen, die routinierten Bewegungen der Hände des Amerikaners am Steuer, im Schoß halte ich die Kuchenschale aus Plastik.

—

97

– Als ich auf dem Weg zurück nach Europa am Gate in
Newark saß, da sah ich lange Zeit nur noch, in einer Art
unendlicher Schlaufe gewissermaßen, die Hände des jungen
Amerikaners (F.) am Steuer oder wie sie das Hemd bis auf
den obersten Knopf sorgfältig zuknöpfen oder wie er eben
vom Schwimmbad zurückkehrt und den Autoschlüssel
und die Post beim Betreten des Raumes auf den Wohnzimmertisch wirft, die Rechnung eines Optikers, eine
marxistische Zeitschrift, so etwas, Werbeprospekte. Wie er,
während er spricht, mit der Hand über seinen rechten Oberschenkel fährt, wie seine Finger also dieser Linie des Muskels
folgen bis zum Knie.

Am Tag nach meiner Rückkehr besuchte ich mit meiner
Schwester eine Ausstellung von archäologischen Fund-
stücken. Du weißt ja, dass meine Schwester Archäologin ist.

– Ja.

– Die Räume waren verdunkelt, und in den Vitrinen lagen
grün schimmernde Glasgefäße und kleine, helle Pfeilspitzen,
Fibeln und verkohlte Getreidekörner, auch eine Nadel, ein
akzidenteller Fund, so nennt man das, den hatte man bei
einer Grabung im Sarganserland gemacht. Meine Schwester
war da selbst dabei gewesen, sie hatte mehrere Wochen lang
an dieser Stelle gearbeitet, und sie freute sich dann wirklich
sehr, diese Nadel zu sehen, die vielleicht fünf Zentimeter lang
und mit einem raffinierten Muster versehen war.

– Kannst du dich für die Archäologie begeistern?

– Ich kann mir so eine Arbeit gar nicht vorstellen, Tag für
Tag draußen auf den offenen Feldern neben den Bahngleisen
oder auf dem Areal eines geplanten Einkaufszentrums im
Mittelland zu stehen und zu graben. Aber meine Schwester,

die fährt auch Bagger, und das ist bestimmt ein Vergnügen. Also, das finde ich auch gut, dass sie das macht.

Damals standen wir also vor den Vitrinen, und ich betrachtete die sorgfältig gearbeiteten Artefakte lange Zeit, aber ich sah nichts, nur irgendwie strukturierte Oberflächen, und eigentlich hatte ich dabei nur diese Hände vor Augen. Ich habe kein Wort gesagt. Noch nie konnte ich die Namen jener Personen, die ich begehrte oder liebte, vor Freunden aussprechen: Als hätte ich in diesem Augenblick alles gezeigt, mich ganz nach außen gekehrt, alles preisgegeben, weil mich so ein ungeheures Gefühl ja mit diesen Namen verband. Meine Freunde, das weißt du ja, sprechen deswegen heute noch von dem »Amerikaner«, dem »Kinogeher«, von »Goldilocks« und der »Schriftstellerin« und so weiter.

—

Wie ich damals auf dem Beifahrersitz des fahrenden Autos sitze: Das Licht der Straßenbeleuchtung streift mich in regelmäßigen Abständen, auf den Knien die Kuchenschale.

Einige Monate oder vielleicht ein Jahr später lese ich bei Susan Buck-Morss, Adam Smiths Biograf John Rae beschreibe in »Life of Adam Smith«, S. 338, wie der Ökonom Smith einmal beim Tee, ohne sich überhaupt an den Tisch zu setzen, Zucker um Zucker aus einer Zuckerschale genommen habe, bis die Gastgeberin, eine ältere Dame, sich zuletzt nicht mehr anders zu helfen gewusst habe, als die Schale zu sich, »auf ihre eigenen Knie«, zu nehmen, um den Zucker vor Smiths »unökonomischen Zugriffen« zu retten.

»Life of Adam Smith«, Kapitel XXI (IN EDINBURGH): Bald nachdem Smith sich im Jahr 1778 in Edinburgh niederließ, habe er mit Black, einem Chemiker, und Hutton, einem Geologen, einen wöchentlichen *dining club*, den »Oyster Club«, gegründet. Man hätte keine drei Männer finden können, schreibt Rae, die sich weniger aus den Vergnügungen zu Tisch (*pleasures of the table*) gemacht hätten, als diese drei Väter der modernen Chemie, der modernen Geologie und der modernen Ökonomie. Hutton sei ein Abstinenzler gewesen, Black, ein Vegetarier, habe gewöhnlich nur etwas Brot, einige Pflaumen und etwas mit Wasser verdünnte Milch zu sich genommen, Smith selbst habe nur eine Schwäche gehabt: *lump sugar.*

An dem betreffenden Abend, so Rae, leistet Smith der Aufforderung, sich an den *tea-table* zu setzen, keine Folge. Er geht stattdessen immer weiter rund um den Tisch und hält nur manchmal an, um ein Stück Zucker aus der Zuckerschale (*sugar basin*) zu stehlen, jener Schale, die die ältere Jungfer schließlich zu sich auf die Knie nimmt, um den Zucker – *the eternal sugar* – vor ihm zu schützen.

Rae: Es handle sich hierbei vermutlich um eine Variante der Geschichte, die Chambers in *Traditions of Edinburgh* erzähle. Dort finde sie in Smiths eigenem Wohnzimmer statt, und bei der Frau mit dem Zucker im Schoß handle es sich nicht um eine ältere unverheiratete Frau, sondern um Smiths Cousine, Miss Jean Douglas.

Bei Susan Buck-Morss die Frage, ob Smiths Lust auf Zucker womöglich als »eine Verschiebung von Smith' sexueller Begierde nach seiner Kusine« verstanden werden könne.

Das Ineinanderfallen der zwei Objekte des Begehrens in jenem Augenblick, in dem die Frau am Tisch die Zuckerschale zu sich nimmt: der Zucker aus den karibischen Plantagen im Schoß der Dame oder Cousine, der ungezügelte, exzessive Konsum des einen oder des anderen als Traum des Ökonomen.

—

Ich träume, sage ich zu A., dass F., während er seine rechte Hand auf die Kopfstütze des Beifahrersitzes legt und rückwärts aus der Parklücke fährt, beiläufig erzählt, er sei an zwei verschiedenen Stellen auf ein Zitat von Richard B. Kimball, Präsident einer amerikanischen Eisenbahngesellschaft, gestoßen, der im Jahr 1858 die rhetorische Frage nach der Verbindung der Fabriken von Manchester und der amerikanischen Natur gestellt habe: Als er die europäische Stadt betreten habe, sei ihm nämlich ein Summen zu Ohren gekommen, ein großes, pausenloses Vibrieren, als ob da eine unaufhaltsame und mysteriöse Kraft am Werk gewesen sei.

*And I said to myself, what connection shall there be between Power in Manchester and Nature in America?*

—

*ETERNAL SUGAR (?)*

—

Was ich nicht weiß, als ich F. zum ersten Mal quer über die NEW WORLD PLAZA auf mich zukommen sehe: Dass seine Person sich in diesem Moment mit meiner Recherche verbindet u. daher alles, was folgt, ganz persönlich wird.

Ungefragt stellt er sich damals sozusagen zwischen die Frauen und Männer von Spiez, die sich in dem zum Gantlokal verwandelten Saal am Südufer des Thunersees versammelt haben, um die zur Versteigerung stehenden Objekte aus dem Besitz des Lottospielers B. zu besichtigen.

Gerade deshalb, denke ich jetzt, befrage ich ihn nie zu seinen Ahnen, zu den durch verwandtschaftliche Verhältnisse mit ihm durch die vergangenen Jahrhunderte hinweg verbundenen Männern und Frauen, dem Verlauf ihrer Leben auf der Insel Saint-Domingue/Haiti vor und nach der Revolution: Er soll kein Teil dieser längst laufenden Forschung werden.

Keine Frage zu seinem Familiennamen, der eine fantastische französische Grandeur behauptet, als entstammte er einer Dynastie von Königen, Regenten, Göttern, als hätte er zeit seines Lebens in Palästen und Schlössern gewohnt, seine Kindheit auf den elysischen Feldern zugebracht.

—

Geggus, S. 275: Die wenigsten der über den Atlantik verschleppten Frauen, Männer und Kinder, die auf der Haut-
du-Cap-Plantage der Brédas arbeiteten, trügen noch ihre
früheren westafrikanischen Namen – stattdessen die Namen
von Heiligen, erfundene Rufnamen, aus der Antike her-
stammende Namen.

Z. B. auch Toussaint Louverture: Bis zur Revolution, als er zu
jener Öffnung wird, durch die hindurch die Aufständischen
schreiten können, als er sich zur *Ouverture* einer freien
Zukunft erklärt, trägt er, Toussaint, den Namen *Tous-saint
de Bréda,* nach jener Familie, die ihn und mehrere Zuckerplantagen an der Nordküste von Saint-Domingue zu ihrem
Eigentum zählt.

—

Einmal, viel später, im Auto, F.s Beschreibung des verfallenen
Palais Sans Soucis, den König Heinrich I., ein ehemaliger
Sklave, einige Jahre nach der Revolution wenige Kilometer
südlich der Bréda-Plantagen errichten ließ.

In seinem Bücherregal C. L. R. James' berühmter Bericht über
die Haitianische Revolution:

PROLOGUE

*Christopher Columbus landed first in the New World at the
island of San Salvador*

*Haiti, a large island*

*(nearly as large as Ireland)*
*He sailed to Haiti.*

—

Als ich heute mein eigenes Exemplar aus dem Regal ziehe, gleich jene Seite im ersten Kapitel des Buches wieder aufgeschlagen, auf der James aus den Reiseberichten eines Schweizers (Girod-Chantrans) die Beschreibung einer großen Gruppe von versklavten Männern und Frauen bei ihrer schweren, ihrer tödlichen Arbeit auf einer Zuckerplantage zitiert.

—

Wie dann diesen Moment verstehen, in dem Adam Smith, statt seinem Verlangen nach der Cousine stattzugeben, zum Zucker greift, hergestellt aus dem Zuckerrohr der karibischen Plantagen – *affreuses campagnes,* wie Girod-Chantrans 1782 in seinem fünften Brief aus Saint-Domingue schreibt, von denen er den Blick, »durchdrungen von Traurigkeit & einer Art Horror«, abwendet.

Und was macht das nun aus uns, die wir neben dem Honda in der Dämmerung stehen, F. und ich, die ich nur Augen habe für ihn, dem ich längst ein Stück des erwähnten Kuchens anbieten wollte.

—

Girod-Chantrans, LETTRE XXXI. *Sur l'origine des montagnes. S. Domingue 1782*:

»Prenons le globe avant qu'il ait reçu le premier mouvement de rotation. Les eaux répandues alors sur sa partie solide, devoient la couvrir en entier & présenter une sphere parfaite.

La rotation commence, l'équilibre est rompu, & déjà la figure change.«

—

Der philadelphische Parkplatz als Ausgangspunkt, sage ich zu A., sei möglicherweise verwandt mit Fichtes portugiesischer Kleinstadt am Atlantik. Auf dem Parkplatz stehe die Frau und esse Süßspeisen, als es gerade eindunkelt. Bei Fichte heiße es: »Eu como tudo.« Ich esse alles.

—

Seit Tagen schlafe ich schlecht, C. tritt wieder auf in meinen Träumen, wir befinden uns hoch oben im Gebirge und sehen auf die Adria hinunter, dann wieder der Parkplatz in Philadelphia: Ich stehe auf der NEW WORLD PLAZA, der junge Amerikaner lässt den Autoschlüssel um seinen Finger kreisen, und auf dem Dach des Hondas steht die Schale mit den aus Mungbohnen, Reismehl und dem Saft einer tropischen Schraubenpalme zubereiteten Kuchen.

Ich sehe mich selbst: wie ich ihm endlich ein Stück davon reiche.

Dann öffne ich die Tür und steige ein.

—

Eine Hängebrücke, die sich vor uns weit über das breite
Gewässer spannt, ihre hoch aufragenden, von roten Lichtern
gekrönten Pfeiler.

Die USS Olympia, sagt F. mit Blick auf einen Kreuzer, der
am Pier liegt: Die Amerikaner steuerten das Kriegsschiff
im Mai 1898 in die Bucht von Manila, um die spanische
Kolonialmacht zu bekämpfen.

Später die Lichter der Vororte, die unsere Gesichter streifen.
Auf dem Armaturenbrett eine Tüte *Pepperidge Farm Goldfish*.

—

Ich kenne ein Gebiet, schreibe ich an C., von vor drei
Jahren (NEW WORLD PLAZA), damals verschwendete
ich Glückliche noch keinen Gedanken an dich.

—

Die Zuckeresserin bei Chantal Akerman (»Je, tu, il, elle«,
1974):

*Et je suis partie*, sagt sie, und bevor sie aufbricht, entfernt
sie das Mobiliar aus dem Zimmer, bringt die zuletzt

übrig gebliebene Matratze und sich selbst in immer
neue Positionen, als wäre es an keiner Stelle länger auszuhalten.

Am sechsten Tag beginnt sie Briefe zu schreiben, und
während sie Seite um Seite schreibt, isst sie fein gemahlenen
Zucker aus einer braunen Papiertüte.

*Je mangeais de temps en temps une grosse cuillerée de sucre en
poudre.*

Wie sie einmal, nachts, unbekleidet im Halbdunkel auf den
auf dem Fußboden verstreuten Briefen liegt und Löffel um
Löffel isst.

Sie warte, sagt sie, »bis es vorbei ist oder bis etwas passiert,
bis ich an Gott glaube oder du mir Handschuhe schickst, um
in die Kälte hinauszugehen«.

Ihr nackter, weißer Körper, der sich in den bodentiefen
Fenstern spiegelt. Bald wird sie aufbrechen, via Autobahn,
und schließlich eintreffen in der Stadt, bei einer Frau, die ihr
Brote mit Nutella bestreicht und Wein einschenkt, die sich
am Tisch die Knöpfe ihres Kleids öffnen lässt.

Pleasures of the table.

*J'ai su que j'avais faim*, sagt die Zuckeresserin, und als die
Tüte leer ist, steht sie auf, zieht sich an und geht.

—

Die europäische Lust auf Zucker. Der weiße Körper der belgischen Frau auf Film. Ihr Begehren (1974), ein kleiner, weißer Zuckerberg auf dem Fußboden vor ihrer Matratze.

Und Girod-Chantrans, der Tag und Nacht das schaurige Zittern der *sucreries* auf Saint-Domingue hört, den Lärm der Mühlen und der Karren, die die Ernte einbringen, und das Geräusch der Peitschen.

Aus den Öfen und Kesselhäusern, schreibt er, ströme der Rauch in Bächen, die sich dann über das Land ergießen, oder er steige in Form dunkler Wolken in die Höhe.

—

– Wart ihr ohne Ziel unterwegs, an diesem Tag in Philadelphia?
– Nein. Es gab den Vorschlag, die sogenannten russischen Bäder zu besuchen.
– Der Vorschlag stammte nicht von dir.
– Nein.
– Ich habe das Gefühl, dass dich gar nichts reizt an solchen Orten.
– Das kann ich so nicht sagen. Das war auch nicht so eine einfache Sauna, wie du das vielleicht kennst, sondern ein etwas heruntergekommener, weitläufiger Komplex, und in der großen Schwimmhalle, von der die gefliesten Flure zu den verschiedenen Bädern und Saunen führten, saßen die Badegäste – große Familien, Gruppen – auf weißen Plastikstühlen, tranken Bier und aßen Borschtsch und Olivier, auch viel Fleisch, lange Schaschlik-Spieße, solche Dinge. Aber es

stimmt schon, dass ich diesen Orten meist fernbleibe, weil sie mich manchmal erschöpfen, also meine Augen, die Augen erschöpfen.

– Warum?

– Weil, so wie ich das sehe, doch plötzlich in den Vordergrund tritt, was wir sonst so zurückhaltend zeigen, unsere, mit Montaigne gesprochen, splitternackten Körper, und das finde ich gerade äußerst interessant, ich möchte ja grundsätzlich immer alles sehen, was es gibt, das heißt also auch alle Formen, alle Ausformungen des Körpers, alle Stadien, alle Versionen, auch alle Deformationen des Körpers. Ich gerate an diesen Orten deshalb immer in einen Zustand äußerster Spannung oder nervöser Aufmerksamkeit. Und dann natürlich der eigene Körper und auch das Gefühl, auf sich selbst zurückgeworfen zu sein, körperlich.

– Eine Befangenheit?

– Die ich in diesem Fall auch ganz selbstverständlich finde.

—

Merleau-Ponty über den »Raum des Körpers«: Dieser Raum sei im Verhältnis zum Außenraum »gleich der zur Sichtbarkeit des Schauspiels erforderlichen Dunkelheit des Saales, gleich dem Untergrunde von Schlaf«.

—

Und über das sogenannte »Geometral«: Man stelle sich, sagt A., zum Beispiel ein Haus in Frankreich, unweit der Seine, vor, hoch oben in der Luft sei ein Flugzeug unterwegs. Dieses

Haus werde nun stets aus einer bestimmten Richtung, unter einem bestimmten Blickwinkel gesehen, man sehe es also anders vom Seineufer her als aus dem Flugzeug oder aus seinem Innern, dem Innern des Hauses. Das tatsächliche Haus aber, das tatsächliche Haus am Ufer der Seine in Frankreich, so schreibe Merleau-Ponty, unterscheide sich von all diesen Hunderten, den Tausenden aus großer Höhe, vom anderen Ufer oder von innen gesehenen Häusern. Es sei »der nichtperspektive Term, von dem alle Perspektiven abzuleiten wären«, es sei das *Geometral* aller möglichen Perspektiven, »das Haus, von nirgendwoher gesehen«.

Seit Tagen, sage ich, während ich den Staub von den Blättern der Forellenbegonie wische, wache ich jeweils kurz vor acht Uhr morgens plötzlich auf, bin sofort hellwach. Bin ich hungrig, esse ich ein Stück Brot und kleine, teure Orangen, an deren Stielen noch Blätter hängen,

ich als Haus, als Geometral, von nirgendwoher gesehen.

—

In einem Buch, das mir Stefan aus Wien zusendet, die Zeilen der Dichterin May Swenson (QUESTION):

Body my house
my horse my hound
what will I do
when you are fallen

Where will I sleep
How will I ride
What will I hunt

[…]

—

Wie ich einmal, nachts, unbekleidet im Halbdunkel auf dem
Fußboden liege, einen Löffel im Mund.

—

Am 23.1. fahre ich zum Kleinen Wannsee und suche die Stelle,
an der sich Henriette Vogel im November 1811 von Kleist in
die linke Brust und durch das Herz schießen lässt. Es beginnt
zu regnen, noch bevor ich die B1 überquere. Die Boote der
Wassersportgemeinschaft sind zum Überwintern an Land
gebracht und mit weißen Planen zugedeckt. Laubloses
Gehölz, immergrüne Kletterpflanzen, darüber hinaus ist alles
grau.

»Etwas Matsch.
Betoniertes.« (Fichte)

Man nannte ihn »Vogels Hausfreund«, sage ich zu A.,
    »und auf die Frage, ob sie zu Mittag essen wollten,
entgegneten sie, daß sie nur etwas Bouillon trinken und am
Abend desto besser essen würden.«

Auf dem Weg dorthin, sage ich zu A., dachte ich noch einmal: Mein unbefangenes Wesen als Frau, what's that. Die Frau, von nirgendwoher gesehen? Die Frau als Jüngling in Paris, der sich einen Splitter aus dem Fuße zieht?

Vielleicht, sagt A., so: Eine Freundin habe erzählt, hin und wieder landeten große Nebelkrähen auf dem Fensterbrett ihres Arbeitszimmers. Kürzlich habe sie die Vögel eine Weile lang von ihrem Schreibtisch aus betrachtet, dann habe sie auf einmal und zu ihrer eigenen Überraschung beide Arme wie eine Besessene in die Höhe gerissen und den Krähen laut lachend beim Davonfliegen zugesehen.

Am selben Tag zwischen den Ästen der Waldkiefern das silbrige Grau des Schlachtensees. Ein junges Paar schlägt den Weg Richtung Ufer ein. Ich erinnerte mich, sage ich, an die im Abendlicht rot gefärbten Stämme, die breiten Schirmkronen der Kiefern auf einem Gemälde Leistikows.

—

Die russischen Bäder von Philadelphia: ein Flachbau in den nördlichen Ausläufern der Stadt, ein stark beheiztes und in die Jahre gekommenes Provisorium mit dünnen Wänden.

Der Gang durch die gefliesten Flure, die warmen, feuchten Räume des Gebäudes. Aus der Ferne das Geräusch von Wasser, das über einen Beckenrand schwappt. In der Halle die vielen Körper, ihre Details und Strukturen, die einfachen, die komplexen Formen, ihre Pigmentierung, Zeichen des

Alters, des Verlusts, der Verletzung, des Überflusses und der Lust, Schenkel, Torsi, private parts.

Kinder, die in Badeschuhen über die Fliesen schlittern und sich auf leichtfertige, verschwenderische Art ins Wasser fallen lassen.

—

Am Beckenrand, sage ich zu A., sitzt F. im Bademantel auf einem Plastikstuhl und liest in der *New York Review of Books*. Über seinem Kopf die Andeutung einer Balustrade, Kopien antiker Plastiken, weiße, anmutige Körper, schlanke Fesseln, kunstvoll geflochtenes Haar.

Später öffnen wir eine Tür, legen unsere Bademäntel ab und betreten das niedrige Zimmer. Die Wärme verkleinert den Raum, sie legt sich wie ein bleierner, ein angenehm schwerer Umhang um den Körper. Die Hitze, sie befängt uns. Auf hölzernen Bänken sitzen wir uns gegenüber, weit über uns thront ein schwer atmender Alter, eine Mütze von goldenem Filz tief in die Stirn gezogen.

—

Traum: Auf der NEW WORLD PLAZA steht Heinrich von Kleist und schreibt eine Novelle (»Die Verlobung in St. Domingo«).

In den Nachrichten sagen sie heute, ein sechzehnjähriger Jugendlicher sei vom 8. Deck des Kreuzfahrtschiffs »Harmony of the Seas« gefallen, als dieses im Hafen von Labadee, an der Nordküste Haitis, ankerte.

—

Der Frau, die ich bin, setzt die Hitze im russischen Badehaus zu. Die Arme vor dem Körper verschränkt, hat sie die Vision eines Diwans in einem kühlen Gemach, sie möchte schlafend unter Decken liegen, und F. beträte dann den Raum, legte den Autoschlüssel auf den Wohnzimmertisch, setzte sich und läse einen Aufsatz über die Umkehrung der Verhältnisse.

Und im nächsten Moment, sage ich zu A., liegt auf dem Diwan wieder *La Blanche*, wie Vallotton sie 1913 malt, nackt und blass, die Wangen gerötet, und neben ihr, rauchend, *La Noire*, ich komme da nicht raus: Was wir nicht alles erben und lernen und wiederholen, was wir alles wissen und was wir alles anders sehen, endlich anders machen wollen: einen Oberschenkel, z. B., nur als solchen, als Oberschenkel, zu sehen. Aber schon als wir diese russischen Bäder betreten, fallen mir die antiken Statuen auf, wie ich sie als Kind in einem heißen Sommer in Griechenland unterwegs von Patras nach Kalamata gesehen habe, und da sitzen wir dann in der Hitze, passenderweise unbekleidet, verwiesen auf unsere Körper, die unsere ganz eigenen Körper sind und zugleich freizügige Botschafter, indiskrete Emissäre der Geschichte: Da sitzen wir, *la Blanche* und *le Noir*, und auf den Stufen um uns herum unsere Ahnen aus der Alten und der Neuen

Welt, da der europäische Unternehmer in *Übersee*, der Ananaskönig, Schiffsmannschaften, Sklaventreiber, Glücksspieler
und Zuckersüchtige, und da jene, die für dreihundert Pfund
Kaurigeld verkauft werden, ehemalige Bewohnerinnen der
westafrikanischen Königreiche, afrikanische Aristokraten,
jene, die die *Middle Passage* überleben, die in den tödlichen
Zuckerrohrfeldern stehen, die ein Loch, eine Öffnung in die
Geschichte schlagen und als Revolutionäre die Namen ihrer
Herren, ihrer Besitzerinnen ablegen.

Da sitzen wir und hören den ohrenbetäubenden Lärm der
*sucreries* in der Nacht.

—

Als ich ihn, F., damals nach einigen Monaten noch einmal
sehe, ziehe ich ein Buch aus seinem Regal, das ich auch
besitze (Sweetness and Power: The Place of Sugar in Modern
History). Als Frontispiz ein Stich von William Blake aus
dem Jahr 1796: Afrika, Europa und Amerika als unbekleidete
Frauen, die sich fast schwesterlich um die Schultern und an
den Händen fassen. Nur die goldenen Ringe, die Afrika und
Amerika um die Oberarme tragen, weisen sie als Sklavinnen
Europas aus: *Europe Supported by Africa and America.*

Darüber ein Zitat aus Bernardin de Saint-Pierres VOYAGE A
L'ISLE DE FRANCE, A L'ISLE DE BOURBON, AU CAP DE
BONNE-ESPERANCE, &c:
    »Je ne sçais pas si le caffé & le sucre sont nécessaires au
bonheur de l'Europe, mais je sçais bien que ces deux végétaux

ont fait le malheur de deux parties du monde. On a dépeuplé l'Amérique afin d'avoir une terre pour les planter: on dépeuple l'Afrique afin d'avoir une nation pour les cultiver.«

—

Wie rasch die Wolken heute früh gegen Norden ziehen, mehrgeschossige, undurchsichtige Gebäude, ihre Dächer und Kuppeln beleuchtet.

In den Nächten breitet sich C. erneut als sonnenbeschienene Landschaft vor meinen Augen aus – eine immer schon verlorene Landschaft: die Erinnerung an eine Verheißung.

Den ganzen Morgen am Fenster gestanden und Musik gehört.

*Du bist aus Zucker, du bist zart*

# Bellevue 2

Heute Abend ein Tänzer mit flatternden Händen, mit fürchterlich schwingenden, schlackernden Armen auf der Bühne des Opernhauses: Vaslav Nijinsky, der tanzt oder getanzt wird, noch einmal raufgeholt aus den Sanatorien des frühen zwanzigsten Jahrhunderts, in denen er angeblich immer noch sitzt und nur guckt, traurig, wie ein Aeroplan hoch über ihm durch den Himmel fliegt.

Tanzt, als hätte man ihm die Augen mit Streichhölzern aufgesperrt,

unruhiger Tanz eines Wiedergängers.

Oben im 2. Rang, schon nah an der bemalten Decke, neben mir C., für den alles viel zu eng ist,

geknickte *Pappel am wasserreichen Flusse*, klaglos.

Ich befinde mich in seinem unmittelbaren Umfeld, so nah, dass ich die unablässigen, feinen Bewegungen seines Körpers wahrnehmen kann, die darauf hinweisen, dass ein Mensch eben lebendig ist, dass dieser Mann neben mir, wie man so sagt, *am Leben ist*, und ich bräuchte nur die Hand zu heben, um ihn zu berühren, sein Knie oder was.

Die helle, beinahe durchscheinende Haut unter seinem Auge.

Der Tänzer auf der Bühne ist im Begriff, sich hinzusetzen, sein Körper führt bereits alle dafür nötigen Bewegungen aus, und ich schaue ihm mit einem Gefühl der Erleichterung dabei zu: Ich wünsche ihm, dem schwitzenden Tänzer, dieser rastlosen Verkörperung Nijinskys, die Erholung, die Erlösung,

wie ich auch für mich selbst auf Erlösung hoffe, kleine Erlösung, die darin bestände, dass meine Hand diese noch verbliebene Entfernung endlich überwinden und irgendwo da zur Ruhe kommen könnte,

aber im letzten Moment richtet der Mann auf der Bühne sich wieder auf und fährt fort mit seinem furchtbaren, nervösen Tanz.

Als wir später ins Freie treten, regnet es. Die Oberfläche des Platzes, den wir Richtung Bellevue überqueren, ganz schwarz und glänzend, als gingen wir über tiefe Gewässer.

—

Eines der Linienschiffe der britischen Royal Mail Steam Packet Company – alle sind sie nach Flüssen benannt, *Amazon, Aragon, Araguaya* – unterwegs auf der Südamerika-Route von Southampton nach Buenos Aires.

Ich meine es von weitem zu sehen, das große, weiße Fahrzeug (*New Twin-Screw, 11,073 Tons*) als kleines Ding unter gigantischem, wirklich immensem blauem Himmel im August 1913.

Am Tag nachdem das Schiff in Southampton die Anker lichtet, steigt Nijinsky an der Nordküste Frankreichs zu: Die »Ballets Russes« sind unterwegs über den Atlantik zu einer Südamerika-Tournee. Sie reisen ohne den Leiter der Kompanie, dessen Liebhaber Nijinsky ist: Er, Djagilew, fürchtet, so heißt es in den Texten, die Schiffspassage, diese tagelange Fahrt ins strahlende Blau nicht zu überleben.

—

An der Bar im Café Odeon einer, der uns verklickern will, wie kurz das Leben sei, sehr kurz, einige Zentimeter zwischen Daumen und Zeigefinger, erklärt er.

Sein Name ist Martin.

Hinter uns halten die Trams am Bellevue, stehen einige Zeit lang mit geöffneten Türen dort im Regen und fahren dann wieder los: kleine, warm beleuchtete Kapseln.

C. isst Erdnüsse.

Seit ich dieses Licht sah, denke ich, das Licht der Erscheinung, als er damals auftauchte, C., diese Blendung, die mich reflexhaft in die Knie gehen ließ, die Arme schützend vor dem Gesicht verschränkt, so wie die Kranken im Heiligen Bezirk von Lourdes, zeigen sich mir alle Dinge wieder so, wie sie es taten, als ich sehr jung war: Jede Stätte, jedes Zimmer, jede Person eine Gelegenheit für intime Akte, unkoordinierte Tänze, überstürzte Vereinigungen.

Nur scheine ich dieses Mal zu sehen, wie unaufhaltsam wir zugleich auf das Ende zurasen.

Sehenden Auges.

Wie kurz die Zeit ist, die mir bleibt, um alles zu sehen, was es gibt.

In siebenundzwanzig Jahren kannst du deine Sachen ins Literaturarchiv geben, sagte Lucas kürzlich, als wir in Bern Bier tranken.

Und während die Kerzen in der Lourdesgrotte langsam herunterbrennen, stehe ich noch unter den letzten Pilgerinnen und schütte das heilige Wasser aus Kanistern literweise in mich hinein.

—

An Bord des weißen Schiffs in jenem August auch eine zweiundzwanzigjährige Frau, sagt der Dramaturg des Opernhauses. Vor ihr liegen, wie sie später schreiben wird, »einundzwanzig Tage Meer und Himmel«: Einundzwanzig Tage auf dem offenen Ozean, um Nijinsky, den berühmten Tänzer, ohne den sie es nicht mehr auszuhalten glaubt, für den sie sich längst entschieden hat, für sich »zu reformieren«.

Nur darum hat sie, Romola de Pulszky, sich eine Karte für die Passage auf der S. S. Avon gekauft.

In ihrer Kabine, neben dem Bett, hängt ein Bild des »Wundertätigen Jesus von Prag«, des Prager Jesulein, von dem man lange Zeit glaubte, es habe einmal der heiligen

Teresa von Ávila gehört. Nachts bittet sie kniend um seinen Beistand in der Sache Nijinsky.

Die Beunruhigung in der Literatur angesichts der Tatsache, dass es ihr während ihrer gemeinsamen Tage auf See tatsächlich gelingt, den Tänzer dazu zu bringen, vier Tage nach Ankunft des Schiffes in Buenos Aires mit ihr das Standesamt in Sección 13 und anschließend die Kirche San Miguel Arcángel aufzusuchen.

Die Verweise auf ihren Reichtum, ihr kühles Kalkül und ihre berühmte Mutter, auf die maßlose Begierde der rücksichtslosen Verehrerin, die den wehrlosen Nijinsky an Bord des Linienschiffs versucht und dann der Welt des Tanzes entreißt.

Als schrieben sie alle als verlassene Liebhaber, als enttäuschte Geliebte.

Und vielleicht haben sie ja recht, ich kann es nicht feststellen.

»Jedenfalls hat sie im Sanatorium Bellevue keinen guten Eindruck hinterlassen.« Max Müller, Erinnerungen, S. 178.

—

Zwei Uhr morgens im Express Shop an der Ecke Militär- und Langstraße. Zwischen den Regalen Peter, unstete, fliegende Augen, auch seine Arme, Hände fliegen, Bierdosen in den Jackentaschen, hat kein Geld, hat kein Geld, nix.

Er ist unterwegs an einen Ort, an dem sich alles schnell dreht, sage ich zu C., oder er ist längst schon dort, in den schnell drehenden Bezirken.

C. mit zwei Hotdogs in den Händen, die der Mann zubereitet hat, der die ganzen Nächte lang immer nur Würste in Brötchen legt hier im Express Shop.

Peter wirft seine Arme um mich, wir hauen jetzt ab ja, sagt er, wohin wo's warm ist wo wir gut behandelt werden wo Milch und Honig aus tönernen Krügen direkt in unsere Münder fließen wo sich alles schnell dreht Himmel komm komm ja

An der Haltestelle rauchende Schüler, die den Nachtbus zum Bellevue erwarten.

—

Fünf Tage später Peter in der Lagerstraße. Er habe sich auf dem Weg hierher mit irgendeinem Idioten geprügelt, sagt er.
    Was für ein Schauspiel!
    In letzter Zeit denke er viel nach über *Synchronicity*.
    So ein Knallkopf.
    Natalie steht auf und füllt unsere Gläser am Tresen.

# Port-au-Prince

Es wird mir damals, bei meiner Ankunft in Philadelphia, im Haus, das F. zu jener Zeit noch mit Freunden bewohnt, ein Bett in einer kleinen Kammer oder einer Art begehbarem Kleiderschrank überlassen, einem Zimmer, das sie gemeinschaftlich als Speicher für alle möglichen Dinge nutzen. Zwischen Rucksäcken und kurzen Hanteln, Wanderschuhen und den beschädigten Teilen einer HiFi-Anlage schlafe ich.

Nachdem ich meine Notizen und Kopien lange Zeit in der »Zucker«-Mappe abgelegt und gedacht habe, den Ereignissen, den Personen und ihren Begehren, ihren Verstrickungen folgen zu können, ohne mich selbst ins Spiel zu bringen, verstehe ich in dieser Kammer, dass es sich dabei immer schon um ein Missverständnis gehandelt hat.

Es ist mein Körper, der da liegt, zwischen den verstreuten Dingen anderer, der zutiefst verwickelt ist in alles, was passiert, und das, was ich zuvor als Material abgelegt habe.

—

Zwischen den Frauen und Männern von Spiez steht F. und knöpft die obersten Knöpfe seines Hemds zu, während der Versteigerer die zwei kleinen Figuren aus dunklem Holz oder poliertem Stein um die Hüfte fasst, um sie der Bevölkerung zu präsentieren.

So selbstverständlich, wie er, F., sich unter die Anwesenden mischt, stellen sich im Laufe der Zeit weitere dazu, um als Ahnen, als entfernte Verwandte, vergessene Nachkommen, als Erbengemeinschaft das Gruppenbild von 1986 durch ihren Auftritt zu vervollständigen oder anzufechten.

—

Kommt hinzu, dass durch unsere Liaison auch ich hineingeraten bin in dieses Gasthaus und diesen Text, und nun stehe ich da, mitten im Saal, und muss mir selbst dabei zusehen, wie ich mich betreten zu erklären versuche:

Ich bin hier, weil meine Augen wieder mal größer waren als mein Hunger.

Nein, strike that.
Ich war ja wie immer sehr hungrig gewesen.

Grüß Gott, ja, Sie vermuten richtig: Ich bin Schriftstellerin! Hier sehen Sie meinen Bleistift, mit dem ich immer alles aufschreibe.

—

Die Sonne scheint ins Allgäu hinunter, Hinterstaufen, Knechtenhofen, Salmas, alles hell und schön und auf den Hängen noch Schnee.

Stehe übernächtigt in der Zugtoilette, Seife an den Händen, und dann kommt kein Wasser, nur zwei winzige Tropfen. Schwankend zurück durch den Wagen, der Geruch der rosaroten Flüssigseife überall. Aber die Sonne sagt, es sei in Ordnung. Grüner Allgäuer See, dessen Namen ich nicht weiß. Allgäuer Pferdekoppeln und Allgäuer Fischzucht-anlagen und Allgäuer Baumstrünke, weiß vom vergangenen Winter.

In der Zeitung Prinz Charles, der in Kuba lachend an einem großen roten Rad dreht: Er mahlt Zuckerrohr. Palmen.

—

Martin, der Lektor, sagt, im Falle einer Veröffentlichung dieser Aufzeichnungen müsse auf jeden Fall »Roman« auf dem Umschlag stehen.

In einem kleinen weißen Auto fahren wir durch München.

Ich sage, es handle sich um einen Bericht über eine Recherche, weshalb »Recherchebericht« mir ungleich pas-sender erscheine.

Bei Fichte heiße es ja auch »Forschungsbericht«.

Abends bringt er mich zurück zum Zentralen Omnibusbahn-hof, den die Busse Richtung Mostar, Lyon und Hamburg verlassen.

Dann die Allgäuer Pferde am Rande der Autobahn in der Dunkelheit, die Ränder Österreichs, die ruhigen Ufer des Bodensees, gegen ein Uhr das Rheintal.

—

Aufgewacht mit dem Gefühl, lange Odysseen hinter mir, Nächte durchgemacht, durchgezecht zu haben. Als führte ich ein Doppelleben, dessen zwei Wirklichkeiten nur durch diesen meinen Körper aneinandergebunden sind, der Körper, der alles mitmacht,

Tag und Nacht,

*mein Haus / mein Pferd mein Hund*

—

Im Traum sehe ich mich, wie ich schlafend inmitten dieses Krempels liege, versunken in die Überreste anderer Leben, den Mund leicht geöffnet, das Haar übers Gesicht gefallen.

—

– Ich kannte das Lottospiel von meinem Großvater, der als Werkmeister bei der Schindler Aufzüge AG angestellt war und sehr regelmäßig spielte, meist indem er die Geburtstage seiner Kinder, also meines Vaters, meiner beiden Onkel und meiner Tante, meiner Großmutter und auch seinen eigenen Geburtstag angab.

– War ihm als Spieler, wie man so sagt, das Glück beschieden?

– Ich kann mich an keinen Gewinn erinnern, bestimmt hat er

aber hin und wieder kleinere Beträge erhalten, wie das ja oft geschieht.

– War das etwas, worüber er gesprochen hat, das Spielen?

– Du musst dir vorstellen, dass das Leben meiner Großeltern von Routine, von Ritualen bestimmt war, und zwar, so habe ich das zumindest als Kind wahrgenommen, im besten Sinn. Es gab das Frühstück, Marmeladenbrot und Kaffee, dann die Arbeit meines Großvaters, die mir als so vollkommen ausgelagert aus dem gemeinsamen Leben erschien, dass ich mir als Kind keinen Begriff davon bilden konnte, worin diese Arbeit bestand, ja, was das überhaupt sein könnte, die Arbeit meines Großvaters. Sie prägte sich mir höchstens ein als Absenz, als tägliche Zeit der Abwesenheit. Und das hat sich auch erst geändert, würde ich sagen, als am Grab des Großvaters ein Mann mit Krawatte auftauchte. Mit einer Krawatte, meine ich, die irgendwie nicht ganz stimmte, mit der irgendwie etwas los war, die ihn auf der Stelle kennzeichnete als etwas, das ich nicht benennen konnte, bis er sich dann eben vorstellte, dort, am Grab meiner Großeltern, als ein Mann, der bei der Schindler Aufzüge AG mit meinem Großvater gearbeitet hatte. Und – da war ich zwanzig, glaube ich – da verstand ich erstmals, dass mein Großvater eben täglich in diesen Betrieb gegangen war und dort gearbeitet hatte und so weiter, wo war ich stehengeblieben?

– Bei den Gesetzmäßigkeiten des Alltags.

– Es gab also die Frühstücke, Arbeit, Mittag- und Abendessen und dazwischen den Spaziergang zum Grab meines früh verstorbenen Onkels, dann in die WARO, den Supermarkt, und zum Weiher, wo wir die Enten mit Brotstücken fütterten – meist in dieser Reihenfolge. Sonntags gingen sie manchmal zum Bettenschieben, meine Großeltern holten die Kranken im Spital aus ihren Zimmern auf den verschiedenen Abteilungen und Etagen und schoben sie in ihren Betten in den Raum, in dem der sonntägliche Gottesdienst gehalten wurde. Schließlich, zur Abendzeit, setzte man sich in die Stube, das war ein Raum, der sonst meist verschlossen war, man setzte sich auf die Polstermöbel und sah sich die Tagesschau im Fernseher an, die Großmutter wandte sich im Licht der Ständerlampe einer Handarbeit zu, sie häkelte weiße Deckchen als Untersetzer, und ich, wenn ich zu Besuch war, trank eine heiße Schokolade.

Das Lottospiel war nur ein weiteres Ereignis, eine weitere von zahlreichen sich wiederholenden Handlungen, die in ihrer Summe die Tage ausmachten. Ich weiß nicht, ob es meinen Großvater mit Aufregung erfüllte, das Warten auf die Ziehung der Zahlen, ob er tagsüber oder vor dem Einschlafen daran dachte, dass ja immer die Möglichkeit des großen Gewinns bestand.

– Man würde annehmen, dass er schon Hoffnungen damit verbunden hat oder gewisse Vorstellungen.

– Du meinst, dass im Glücksspiel vielleicht das ins Unpolitische gewendete Hoffen auf Emanzipation, auf Freiheit zum Ausdruck kommt. Der Utopist im Casino, so was. Aber vielleicht handelt es sich doch nur um die kleine Form von Verschwendung, die sich die Arbeiterin und der Kleinbürger erlauben? Hier: Ich schmeiß das Geld zum Fenster raus, auch wenn es nur ein paar Franken sind, ha.

– Das Fernsehen und das Glücksspiel, waren das die Formen von Unterhaltung, die deine Großeltern kannten?

– Das wäre nicht richtig, das so zu sagen. Mein Großvater
baute viel, ich würde sagen, er war im Grunde ein Kon-
strukteur, er zeichnete Pläne für Heimorgeln und führte sie
dann aus, lötete jede einzelne Pfeife, er interessierte sich für
Elektronik und Aerodynamik, für Flugobjekte, Papierflieger,
Miniaturflugzeuge, überhaupt ferngesteuerte Fahrzeuge,
die Eisenbahn, Expeditionen, Schifffahrt und Navigation,
Modellschiffe, Brückenbau, Telekommunikation. Er besaß
Atlanten und die Bücher des Flugpioniers Mittelholzer, der
in der Stadt geboren wurde, in der mein Großvater lebte. Als
Kind schaute ich immer wieder die Bilder seines *Afrikaflugs*
an.

– Hast du Erinnerungen daran?

– Diese Fotografien von Rauchfahnen, die von der Oberfläche eines Sees, des Nyassasees, aufsteigen, ja. Der schwere
Ohrschmuck der Kikuyu, des »Mädchens aus Nyangori bei
Kisumu«, ihre Nacktheit. Wenn ich das so sage, scheint das
zum Glück alles so lange her zu sein.

—

Im Kino Hans-Ulrich Schlumpfs »TransAtlantique« (1983):
An Bord des Linienschiffs EUGENIO C. spielen die
Passagiere zum letzten Mal Bingo.

Bei Kaschnitz (*Tagebücher*):
     7. Mai 1962: »Gibraltar hatten wir um 2 Uhr nachts
passiert.«
     Dann: »Nachmittags noch Lotteriespiel, Bingo, Kärtchen
mit Nummern, die ausgerufenen bedeckt man mit Chips,

eine Reihe gewinnt zuerst, dann die ganze Karte. Ich gewinne nie.«

Abends der *Bal d'adieux*.

—

Am 2. Januar 1984, fünf Jahre nach seinem Lottogewinn, steigt Werner Bruni in Basel-Mulhouse in ein Flugzeug und fliegt über den Atlantik nach Port-au-Prince,

sage ich zu F., den es einmal tatsächlich gab, mit dem ich einmal auf einem Parkplatz neben einem Auto stand und, später, in einem Zimmer im Albatross Motel in Montauk lag,

den ich aber längst nicht mehr meine, den ich längst neu erfunden habe für die Zwecke dieser Aufzeichnungen, auch das Zimmer in Montauk mit seinen klammen, mit Blumen bedruckten Vorhängen, das winzige, feuchte Bad, auch das ganze Albatross Motel, die Parkplätze davor, die Pfützen am Straßenrand, die ganze Insel, Amerika, das Meer, das ganze Himmelsgewölbe.

—

It's not you I'm writing about, sage ich gestern Nacht, als er überraschend anruft, aber weglassen kann ich dich ja auch nicht, weil ich, als ich dich zum ersten Mal sah, gerade die »Verlobung in St. Domingo« las.

The Betrothal in Santo Domingo.

A terrible book.

Hätte ich nichts gesagt, hätte ich etwas verschwiegen: Dass ich die Geschichte jener Gegend, jener Insel (Haiti) studierte, mit der du in Verbindung stehst.

Er kann sich nicht an den Verlauf der Handlung erinnern, nicht an den Schweizer, der mit seinen Verwandten, seinen Bediensteten und Mägden über die nächtliche Insel flieht, um schnellstmöglich nach Port-au-Prince zu gelangen. Es ist die Zeit der Revolution.

Es stürmt und regnet, als der Schweizer den hungernden Tross in einer Gebirgswaldung zurücklässt und auf der Suche nach Lebensmitteln die Besitzung eines Mannes betritt, den die Europäer einst von der Goldküste Afrikas über den Atlantik auf die Pflanzung bei Port-au-Prince verschleppt hatten.

Congo Hoango,
    a dangerous black man.

Undankbar, schreibt Kleist, gegenüber seinem großzügigen Herrn, Guillaume von Villeneuve: Er erschießt ihn als Ersten, als die Aufstände die Pflanzungen ergreifen, er zerstört dessen Gut, streift durch die Gegend, tötet Pflanzer, Reisende, Fliehende, »diese weißen Hunde, wie er sie nannte«.

In dieser Nacht im Jahr 1803 ist er unterwegs, um General Dessalines mit Pulver und Blei zu versorgen. Im Haus nur seine Gefährtin Babekan und ihre Tochter.

Toni.

Die fünfzehnjährige uneheliche Tochter eines Franzosen, an die der Schweizer noch am gleichen Abend sein Herz zu verlieren meint:

»… er hätte, bis auf die Farbe, die ihm anstößig war, schwören mögen, dass er nie etwas Schöneres gesehen.«

—

Das Inkle-und-Yarico-Schema (?)

—

Die nun Befreiten, erklärt der Schweizer in der »Verlobung in St. Domingo«, die ehemaligen Sklaven und Sklavinnen der Plantagen, die der »Wahnsinn der Freiheit« ergriffen habe, nähmen wegen der Misshandlungen, die sie von manchen ihrer Besitzer erfahren hätten, jetzt unterschiedslos an allen Weißen Rache. So z. B. das an Gelbfieber erkrankte Mädchen, das seinen früheren Herrn verführt, um ihn mit der Krankheit anzustecken.

—

*Erst hat sie ein gewöhnliches Fieber befallen, und sie hat sich während einiger Tage kaum bewegt. Mit einem Schweißtuch streicht sie sich das Gesicht trocken, und manchmal, wenn sie aus einer Periode des Schlafs aufwacht, deren Dauer sie selbst im Nachhinein nicht feststellen kann, findet sie sich in einem Zustand wieder, der jenem der Trunkenheit ähnlich ist und der es ihr verunmöglicht, Wörter klar zu artikulieren oder*

Bewegungen präzise und ohne Zittern auszuführen. Als könnte sie nicht sehen, führt sie langsam Gefäße zu ihrem Mund, um zu trinken. Aber niemand sorgt sich ernsthaft um sie, denn sie ist jung, und auch sie selbst macht sich keine Sorgen.

Von der Stelle, an der sie liegt, sieht und hört sie nicht viel von dem, was in ihrer Umgebung geschieht, aber jene, die sie im Laufe der Tage aufsuchen, sagen ihr, es sei eine Umwälzung im Gange. Der Bruder weist in die Stadt hinaus: Dort geschehe es in diesem Augenblick, dort ereigneten sich Dinge von größter Tragweite, es sei jetzt so weit.

Diese Berichte, die der Kranken zugetragen werden, finden den Weg in ihren Schlaf als Übersetzungen in Form von Bildern, deren Herkunft sie nicht kennt: weite Täler als Sammelplätze, Priester in ihren Soutanen, denen das Blut schwarz und dickflüssig aus den Mündern quillt, Kinder, die schweigend an den Tischen ihrer Herren Platz genommen haben, die mit von sich gestreckten Gliedmaßen reglos auf den Betten ihrer Herren liegen, die vor den Türen der Häuser ihrer Herren stehen, ohne eine Bewegung. Hühnervögel, die in der Dunkelheit aufflattern, sich die Flügel an funkenstiebenden Signalfeuern versengen, torkelnd in die Finsternis stürzen.

Sie erholt sich von ihrem Fieber, ihr Blick klärt sich und ihr Begriff von Raum und Zeit stellt sich wieder her. Sie verlässt den Raum, in dem sie ihre Besserung abgewartet hat, und erklärt jenen, mit denen sie spricht, sie sei zurück, sie sei nun wieder da. Noch bewegt sie sich mit einer gewissen Zurückhaltung, langsamer als zuvor oder vorsichtiger vielleicht, auch so, als müsste sie erst feststellen, ob ihre fiebrigen Visionen Niederschlag in der Wirklichkeit gefunden haben und in welchen Zustand die Stadt in der Zeit ihrer Abwesenheit geraten ist.

Als das Fieber sie dann ein zweites Mal überkommt und sie zwingt, an jenen Ort zurückzukehren, von dem sie sich eben erst losgesagt hat, hält sie sich nicht bei dem Unglück auf, das die Krankheit jetzt, in diesem historischen Moment, in dem alles in Veränderung begriffen ist, umso mehr bedeutet. Stattdessen sucht sie in den letzten ihr verbleibenden Nächten jene auf, denen die vierzehn oder fünfzehn Jahre ihres Lebens gehört haben. Während sie das Blut, das ihr aus der Nase rinnt, mit dem Schweißtuch zu stillen versucht, sieht sie sie noch einmal, wie sie in den Zuckerrohrfeldern stehen, die Produktion überwachend, wie ihre Blicke über ihr Eigentum schweifen, Maschinen, Maulesel, Arbeitskräfte.

Als ihr kurz vor dem Ende jemand zuträgt, der Weiße, auf dessen Pflanzung sie in wenigen Jahren alles erfahren hat, was es vielleicht zu erfahren gibt über das elende Leben bis zum Tod, aber auch über die Beharrlichkeit des Körpers oder des Kopfes, als sie also hört, dass dieser Mann sich nun in einem Schuppen vor den Aufständischen versteckt, schickt sie ihren Bruder zu ihm.

Vielleicht lässt sie ihn rufen, weil sie ihn unter diesen veränderten Vorzeichen, die auch ihn zum Todgeweihten machen, noch einmal sehen will. Vielleicht will sie nicht gehen, ohne ihn mitzureißen, eine kleine, letzte Handlung im Kampf für die Freiheit, der in diesem Augenblick auf der ganzen Insel ausgefochten wird.

In der Dunkelheit sind ihre fiebrigen Augen, die Zeichen der Krankheit nicht zu sehen. Als der Weiße hinter ihrem Bruder den Raum betritt, nervös und rasch atmend, als wäre er gerannt, wacht sie auf aus dem Zwischenbereich, in dem sie sich bereits befindet, lässt alles, was sie dort sieht, noch einmal zurück: die Mutter, die in feinste Stoffe gekleidet auf einem Stuhl im Zwielicht sitzt, kleine, zu geheimen Zeichen formierte Äste, unentwirrbare Gliedmaßen an einem hellen Strand im Norden der Insel, einen Franzosen, der raffinierten Zucker erbricht, stillstehende sucreries *im ganzen Land.*

Dann nimmt sie den Mann deutlicher wahr, der ihrem Bruder in der dummen Hoffnung gefolgt ist, es würde ihm hier, bei ihr, die zuvor sein Eigentum war, sichere Zuflucht gewährt. Noch immer atmet er gepresst und schnell, seine Augen haben sich noch nicht ganz an die Dunkelheit gewöhnt – orientierungslos steht er mitten im Raum, während hinter ihm, beim Eingang, der Bruder steht, sein Körper bis aufs Äußerste gespannt und bereit, diesen Mann jederzeit zu töten.

Während sie ihn noch betrachtet, diesen vor Schmutz starrenden Franzosen, der – all seiner Produktionsmittel, seiner Besitztümer, seiner Definitionsmacht entledigt – einer bereits vergangenen Epoche anzugehören scheint, nähert er sich ihr und beugt sich zu ihr herunter: Hier liegt sie, die ihm so vertraut ist wie die Pferde, die schweren Möbel, die mit Initialen bestickten Taschentücher, die er einst besaß. Und als er sie so sieht, ihren vollständigen, lebendigen Körper, scheint ihm darin das Versprechen einer letzten, wenn auch nur kurz andauernden Erlösung, seiner Rehabilitation zu liegen: diesen Körper, diese Person noch einmal zu besitzen, vollständig in seiner Gewalt zu wissen, und sei es nur für einige, wenige Stunden in dieser Nacht.

Vielleicht hat sie damit gerechnet, dass er sich ihr gleich auf diese Weise nähern würde, auf jeden Fall versucht sie ihn nicht *von sich zu weisen oder es fehlt ihr die Kraft, seinen geöffneten Mund, das Gewicht seines Körpers abzuwehren.*

*Mit Sicherheit weiß sie, dass sie in diesem Moment selbst zur Revolutionärin wird, dass nun, bevor sie geht, die große Umwälzung auch in diesem Zimmer geschieht, als er sich schließlich an ihre Brust drängt, als verlangte er ihre Milch.*

—

In Wahrheit wird sie gegen das Gelbfieber immun gewesen sein: Die Krankheit, lese ich, betraf vor allem die europäischen Truppen.

—

Der Sex im Albatross Motel in Montauk,
   als lägen wir im Ehebett unserer Eltern, der Älteren, als hätte in diesem Bett die ganze Welt schon gelegen, als hätten sie sich hier alle zueinandergelegt, sich auf diesen Laken gewälzt, sich geliebt, einander verführt und ausgezogen, geschlagen, konsumiert, vereinigt, verletzt, sich fortgepflanzt.

Später F. unter der Dusche.
   Ich zappe durch die Kanäle.

Nein, niemand hier außer uns selbst.

—

Der Sex bei Kleist als Auslassung: Der Schweizer auf der Flucht, furchterfüllt, zieht Toni, die ihm so anmutig erscheint, auf seinen Schoß und fragt sie nach ihrem zivilen Stand, nach ihrem Alter. Und während er sie, deren Aufgabe es eigentlich ist, den Schweizer zu verführen und hinzuhalten, damit er später von Hoango getötet werden kann, während er sie noch festhält, mit seinen Händen »ihren schlanken Leib umfasst«, flüstert er ihr scherzend ins Ohr, »ob es vielleicht ein Weißer sein müsse, der ihre Gunst davontragen solle«,

und sie errötet und legt sich an seine Brust, lieblich etc.

Sie erinnere ihn, sagt er, an Mariane Congreve, seine Verlobte, die sich in Straßburg an seiner statt unter die Guillotine gelegt habe, um für ihn wegen seiner Äußerungen über das Revolutionstribunal zu sterben, und der Schweizer weint um Mariane Congreve,

und auch Toni weint.

»Was weiter erfolgte, brauchen wir nicht zu melden, weil es jeder, der an diese Stelle kommt, von selbst liest.« (Verlobung in St. Domingo, S. 20)

Nur dass sie danach auf dem Bett liegt, apathisch und reglos, und nicht zu hören scheint, was er sagt (dass er ein kleines Eigentum am Ufer der Aare besitze, zu dem er sie bringen werde, »Felder, Gärten, Wiesen und Weinberge«), und auf keine seiner Fragen reagiert; dass er sie schließlich aufhebt und auf ihre Kammer trägt.

Was ihn zu dieser Tat verführte: »eine Mischung von
Begierde und Angst, die sie ihm eingeflößt«.

—

Wie er ihr später, nicht in der Lage, ihre Handlungen, die ihn
retten sollen, richtig zu deuten, in die Brust schießt.

Die kopflose Mariane Congreve.
Die blutverschmierte Toni.

—

Ich meine, wir hätten damals, auf der NEW WORLD
PLAZA, oder später vielleicht, unterwegs nach Montauk,
davon gesprochen:
Dass der Kapitalismus schon immer empfindlich angewiesen war auf eine vielfache Spaltung des sogenannten
Proletariats,
auf eine Akkumulation von Spaltungen, von unbefestigten
Gräben und Furchen also, die jene voneinander trennen, die
im Prinzip auf der gleichen Seite stehen, nämlich auf der
Seite derjenigen, die zu viel hergeben und zu wenig kriegen
dafür,
eine Vielzahl von Spaltungen.

—

Meine verlegene Antwort, als er mich nachts auf dem Weg
nach Montauk fragt, woran ich arbeite:

Ich hätte vor acht oder neun Jahren im Fernsehen eine Szene gesehen, zu der ich seither immer wieder zurückkehrte, die nicht nur den Umstand zum Ausdruck bringe, dass das Kapital jene, deren Arbeit es sich zunutze mache, entzweie und gegeneinander aufbringe, sondern auch die Unerbittlichkeit zeige, mit der jene, die sich, wenn auch nur vorübergehend, über diese Klüfte hinwegsetzten, in ihre Schranken gewiesen werden.

Die Szene aus dem Jahr 1986, sage ich, zeigt den Saal eines Gasthauses, das sich am südlichen Ufer eines Schweizer Sees befindet: Im niedrigen Raum und noch im Flur, der zum Saal führt, drängt sich die örtliche Bevölkerung, Männer und Frauen und ihre Kinder, ihre Gesichter in diesem Moment jenem Mann zugewendet, der mit ausgestreckten Armen zwei kleine Figuren aus Ebenholz oder schwarzem Stein zur Versteigerung bringt. Auf den ersten Blick, sage ich, könnte man meinen, das vergnügte Lachen der Anwesenden rühre allein daher, dass der Versteigerer vor ihrer aller Augen diese Figuren schwenkt, und bestimmt gilt ihr Lachen nicht zuletzt diesen Körpern und ihrer Beschaffenheit, vor allem aber, sage ich, vermute ich, dass sie, die Bäuerinnen und Servicekräfte, die Hilfsarbeiter und Angestellten und ihre Söhne und Töchter, über die Liebe lachen, diese lächerliche Liebe, die der ehemalige Besitzer der Figuren, der Lohnarbeiter und Lottospieler WB, für sie empfunden haben muss. Ich sehe, sage ich, seine Verbindung zu diesen Figuren, die eben gerade nicht an diesen Körpern hing, als eigentliche Unterwanderung der Verhältnisse, als Ungehorsam: WB hatte einen Sprung über den Spalt gemacht.

# Plaisir 2 / Trocadero

– Also, was ist die Liebe, na ja. Was du immer wissen
willst. Ich habe ehrlich gesagt keine Ahnung, ich stelle auch
fest, dass ich die Dinge ständig verwechsle oder dass wir
die Wörter verwechseln. Im weitesten Sinne würde ich also
vielleicht sagen: eine Bereitschaft. Was denkst du?
– Eine Zugewandtheit vielleicht, die absichtslos ist?
– Die auch immer eine Zugewandtheit zu den Dingen
bedeutet. In Frankreich, das fällt mir dazu ein, las ich
letzten Sommer innerhalb kürzester Zeit die *Passion simple*
einer französischen Schriftstellerin, obwohl ich, wie du weißt,
gar kein Französisch spreche, also nicht einmal in der Lage
war, in der Bäckerei ohne Zuhilfenahme der Hände die Brote
zu unterscheiden oder auf der Straße nach dem Bus an die
Küste zu fragen. Ich saß in der Küche der Wohnung, von
der mir die Vermieterin gesagt hatte, sie liege in der Nähe
der medizinischen Fakultät, und wenn ich aus dem Fenster
schaute, sah ich die jungen Männer, die auf geräuschlosen
Elektro-Motorrädern Abend für Abend um die kleine,
schmucklose Kirche kreisten und dabei die Turnschuhe
über den Asphalt schlittern ließen. Ich las also diese *Passion*
und war schon damals ja ganz unglücklich verliebt, und
ich konnte – deshalb, meine ich – jedes Wort des Buchs
verstehen, obwohl es mir im Prinzip ja gar nicht möglich
gewesen sein kann. Gleichzeitig hörte ich fast gänzlich auf

zu essen und zu trinken, weil ich aufgrund meiner mangelhaften Sprachkenntnisse außerstande war, die Sachen, die ich begehrte, kleine, ovale Käse mit flüssigem Kern, frisch aus dem Meer geborgene, grünlich glänzende Fische oder Varianten von Pastete, an der Theke zu bestellen.

– Dass du immer dünner wirst, ist mir kürzlich aufgefallen.

– Also, was ich meine, ist, dass die Liebe vielleicht immer auch eine Verbindung mit den Dingen – oder sagen wir: der Welt – bedeutet, auf eine Art und Weise, dass ich sie nicht mehr kühl betrachte, sondern ihr eben sehr nah bin und sie plötzlich, auf rätselhafte Weise, auch verstehen kann, so wie ich eben dieses Buch verstanden habe.

– Und gibt es für dich auch eine Genügsamkeit in der Liebe, ein Ende oder eine Sättigung?

– Das kann ich natürlich überhaupt nicht beantworten, da wir so allgemein sprechen. Du sagst »die Liebe«, aber du meinst ja doch die romantische Liebe oder die Verliebtheit. Ich kann dir höchstens ein Beispiel geben. Kürzlich fuhr ich mit C. aus der Stadt hinaus, wir gingen sehr lang und schauten alles an und erzählten uns, was wir sahen, und wiesen auf die Dinge hin, die uns besonders und schön oder merkwürdig und auch beunruhigend erschienen, und irgendwann am frühen Abend erreichten wir einen an einem Hang gelegenen Park, durch den ein verschlungener Weg führte, und wir setzten uns auf eine Bank. Es war sehr still dort, zwei Kinder spielten unter uns in der Nähe des Eingangstors, und noch weiter unten lagen die Bahngleise und die langen, geraden Straßen dieser Stadt, über die Marx im *Kapital* geschrieben hatte, sie sei eine »einzige Uhrenmanufaktur«. Ich spürte plötzlich, wie müde ich war,

mein ganzer Körper wurde von einer großen Müdigkeit
befallen, also legte ich mich hin auf die Bank, und als ich da
so lag, spürte ich die Bewegungen seines Körpers, wenn er
redete und rauchte, ich sah einige Vögel, Tauben, die sich ab
und zu von den Ästen abstießen, die in mein Blickfeld ragten,
und C.'s Hand, die auf der Lehne der Bank lag, es verging
vielleicht eine Stunde so, und ich war sehr glücklich.
– Aber es war nicht genug?
– Nein. Irgendwann standen wir auf und fuhren zurück, wir
verabschiedeten uns auf dem Trottoir, und ich sah, schon als
ich noch auf dem Fahrrad am Stadion vorbei nach Hause
fuhr, nein, schon als ich noch auf der Bank lag und in die
Luft schaute, sah ich, dass der Erdboden sich gleich öffnen
und ich hineinstürzen würde in den erstbesten höllischen
Abgrund, kaum dass ich wieder alleine sein würde. »Je vivais
le plaisir comme une future douleur«, so heißt es in dem
Buch, das ich im letzten August in Marseille gelesen habe.

—

Auf dem Weg nach Plaisir am Bahnhof Versailles-Chantiers
ausgestiegen und zum Schloss gelaufen. Das Esszimmer
des Königs, das Bett des Königs in der Morgensonne.
Die *antichambres* der Prinzessinnen: Schleusen, die der
Besucher auf dem Weg zum innersten Zimmer, dem eigentlichen Herz der einen oder anderen königlichen Tochter,
passieren muss.

—

Die Deutschlehrerin im Auto: Die Bewohner und Bewohnerinnen des Orts nenne man *les Plaisiroises.* Sie ist hinreißend und vergnügt, wohnt aber selbst nicht hier, in Plaisir, wie sie sagt, sondern in einem nahe gelegenen, eigentlich viel schöneren Ort.

—

Abends sitze ich in Paris an derselben Stelle (Trocadero), an der ich vor einigen Monaten mit C. saß und auf die Seine hinunterschaute. Auf einem am Boden ausgebreiteten Tuch lässt ein Mann eine goldene Kugel unter drei Aluminiumbechern verschwinden, die er, von seinem Singsang begleitet, unentwegt umherschiebt:
*Easy come easy go hello guys I pay double where is the ball no money no honey hello Madame*

—

In Hanna Johansens »Trocadero«, S. 164:
»Weißt du, was ich möchte? sagte ich atemlos.
Er konnte es nicht erraten.
Ganz viel von allem! sagte ich.
Wie recht du hast, sagte er.«

—

Später zurück ins Hotel, ein heruntergekommenes Zimmer irgendwo im Quartier Latin, roter, abgewetzter Teppich. Die ganze Nacht über Geräusche durch die Wände, Wasser

scheint unablässig durch die Rohre zu fließen, stunden-
langes, irres Lachen, Klopfen, als wären Handwerker bei der
Arbeit.

Ich frühstücke im kleinen, zur Straße hin gelegenen Raum.
Auf den in Papier gewickelten Zuckerwürfeln in der
Schale auf dem Tisch Abbildungen von Skulpturen aus
unterschiedlichen Weltgegenden: *Sculpture îles Marquises,
Sculpture du Nigéria, Sculpture Mexique.*

Wusstest du, schreibe ich an C., dass die Eiben in Plaisir in
der Form von Zuckerstöcken geschnitten sind?

—

Gang durch die Stadt. Die Fußball spielenden Kinder im
leeren Becken des Brunnens vor der Sainte-Trinité, Staub-
wolken, staubige Schuhe, staubige Hosen, alles weiß und
hellstes Licht wie am Meer.

—

Die anfängliche Überraschung darüber, dass mich die Aufzeichnungen immer wieder zum Atlantik führen, dass ich
mich im Prinzip in einem immer neuen Hafengebäude, auf
diesem, dann jenem, dann einem dritten Schiff wiederfinde:
Aufgeregt lief ich in der Wohnung umher. Dann, als ich nicht
nur bei Ellen West, bei Eveline, bei Toussaint Louverture, bei
Fichte, Bruni und Nijinsky, bei Frisch etc. auf den Atlantik,
die Atlantik-Passage als *Ereignis* stieß, sondern zuletzt sogar,

ohne es darauf angelegt zu haben, in den Tagebüchern von
Marie Luise Kaschnitz und in M. F. K. Fishers *Gastronomical
Me,* begann mich diese große Häufung von scheinbaren
Zufällen auszulaugen: Als stünde ich vor einer *slot machine*,
aus der in einem fort die Münzen kullerten.

Dabei sehe ich nun, wie einfach die Erklärung ist und
dass der Zufall dabei keine Rolle spielt: Die Routen der
Handels- und Passagierschiffe, der interkontinentalen Flüge,
die sich hier abzeichnen, dieses Netz der transatlantischen
Beziehungen und Zusammenhänge berührt mein Anliegen
in seinem Innersten: Was wurde nicht alles über dieses
Gewässer, diesen Spalt zwischen den Kontinenten geschafft
im Laufe der Zeit,
  indische Textilien, Edelmetalle, Zuckerberge
  doppelt freie Arbeiter und gewaltsam Verschleppte
  Avantgarden (Entdecker, Soldaten, Tänzerinnen)
  Wanderprediger
  Utopistinnen, Armenhäusler, Exilierte
  liebeskranke Dichterinnen
  Touristinnen

# Montauk

Nach Mitternacht wache ich auf und bin hungrig. Ich weiß, dass ich mich in einem Motelzimmer befinde. Es muss das Jahr 2016 sein. Durch ein kleines, in die Tür eingelassenes Milchglasfenster dringt das gelbliche Licht der Außenbeleuchtung. In der Ferne das Rauschen des Atlantiks. Ich trage ein zerschlissenes weißes T-Shirt mit der Aufschrift »International Institute for Sport«. Neben mir liegt F., der sich im Schlaf die Decke bis zum Kinn hochgezogen hat. Er atmet langsam und regelmäßig, und ich betrachte ihn, wie er da liegt und schläft. Dann, plötzlich, nehme ich aus den Augenwinkeln eine Bewegung wahr: Ich meine für den Bruchteil einer Sekunde eine Gestalt in der Tür zum Bad zu sehen, einen Körper, der sich aus der Dunkelheit gelöst und einen Schritt in den Raum hineingemacht hat. Ein kalter Schauer läuft über meine Haut. Ich wage es nicht, mein Gesicht dem Bad zuzuwenden, und verharre bewegungslos, als wäre ich so unsichtbar, trotz meines weißen T-Shirts mit den alten Blutflecken am unteren Saum.

—

Wie wir damals durch die in der Dunkelheit liegenden Hamptons fahren, F. und ich, auf dem Rücksitz des blauen Honda Accords die leinengebundene amerikanische Ausgabe von Frischs »Montauk«. Im Licht einer Tankstelle lese ich in der Übersetzung, was ich im Original bereits kenne:

*Er weiß, wo sie sich befinden:*

*MONTAUK*

*ein indianischer Name; er bezeichnet die nördliche Spitze von Long Island, hundertzehn Meilen von Manhattan entfernt, und er könnte auch das Datum nennen:*

*11.5.1974*

Die Toilette auf der von der Straße abgewandten Rückseite des Tankstellenshops: ein dunkler Bretterverschlag.

Die Augen gewöhnen sich nur langsam an das spärliche Licht. Müll. Im Waschbecken vollgesogene Papiertücher. Mein Gesicht im schmutzigen Spiegel nur ein Schatten, schattige Augenhöhlen, schattiger, gefährlicher Mund.

Draußen Stimmen, jemand rüttelt an der Tür, der vorgeschobene Riegel drückt gegen die lose angebrachte Metallschlaufe. Als ich wieder ins Freie trete, ist niemand da. Im Gebüsch eine leere Twinkies-Tüte.

—

Samson Occom, ACCOUNT OF THE MONTAUK INDIANS, ON LONG ISLAND (1761):

Die Priester der Montauk sagten, sie gewännen ihre Kunst aus den Träumen, aus nächtlichen Visionen, vom Teufel, der ihnen in verschiedenen Formen erscheine, manchmal in der Gestalt dieser oder jener Kreatur, manchmal als Stimme &c.

—

F., der mit einem Dunkin' Donuts-Becher in der Hand bei den von den Flutlichtern beleuchteten Zapfsäulen wartet. Noch achtzig Meilen bis Montauk, hat er ausgerechnet.

Er erzählt von den Ruinen des Palais Sans Soucis, wie er sie im Sommer vor einigen Jahren gesehen hat, als er von Cap-Haïtien aus hingefahren ist: die Sicht von den Treppen des Palasts auf die grün bewaldeten Hügel.

Der Honda das letzte Fahrzeug, das noch unterwegs ist um diese Zeit. Windböen fahren vom offenen Wasser her über die unbeleuchtete Straße, das Gebüsch am Straßenrand in ständiger, unüberschaubarer Bewegung. Hin und wieder ein Licht, das die Anwesenheit von Menschen signalisiert.

—

Nach Mitternacht wache ich auf. Ich befinde mich in einem dunklen Raum, in den einzig durch das rautenförmige Fenster in der Tür ein bisschen Licht dringt. Ich erkenne einen Plasma-Fernseher am Fußende des Betts und an der Wand über mir ein gefächertes Gewinde aus künstlichen Blumen, das mich an die Kränze und Gestecke erinnert, die in den Aufbahrungshallen auf die Särge der Toten gelegt werden. Ich lausche dem Rauschen der Brandung, dem regelmäßigen Anrollen der Wellen. Neben mir liegt Max Frisch und schläft.

—

Philip Roth, der Max Frisch sein Buch im New Yorker Hotel vorbeibringt: *MY LIFE AS A MAN*. Frischs Skrupel angesichts des deutschen *Lebens als Mann,* obwohl es ja das ist, was er in »Montauk« untersuchen will.

Alles probehalber einmal umzudrehen, sage ich am Telefon, als A. sich meldet: Zwar naheliegend, aber auch immer wieder oder noch immer erhellend.

Wie ich z. B. kürzlich, als ich mit Laura in der Basler Oper war und noch vor Beginn sah, dass eine Frau am Pult vor dem Orchester stand, fast in Tränen ausbrach,
    als handelte es sich um eine Gesandte, um eine erste Verkünderin der kommenden Befreiung, die zu uns sprach von ihrem Podest herunter, uns mit ihrem Stock von der Zukunft erzählte.
    Sie war so lustig, dirigierte so nonchalant.

—

Nach Frisch:

Dann ist er nochmals zum Wagen zurückgegangen. Sie wartet; sie haben Zeit. Ein ganzes Wochenende. […] Sie wartet sonst ungern. Es ist ihm eingefallen, daß er, um den

Atlantik zu sehen, eigentlich seine Tasche nicht braucht.
(S. 7)

Einmal ein sumpfiger Graben, wo sie ihm hat helfen müssen,
und seither geht er voran. (S. 8)

Sie hat dafür gebürgt, daß sie den Wagen jederzeit wieder
finden werde, und er scheint ihr zu vertrauen. Um dann die
Pfeife anzuzünden, muß sie kurz stehenbleiben, es ist windig,
fünf Streichhölzer sind nötig, und er ist unterdessen weiter
gegangen, so daß sie ihn für Augenblicke nicht mehr sieht;
für Augenblicke kommt es ihr wie eine Einbildung vor oder
wie eine ferne Erinnerung: dieser Gang mit einem jungen
Mann. (S. 8)

—

Tatsächlich: F.s Angst vor *poison ivy*, als wir durchs Gebüsch
zum Meer hinuntergehen. Er macht kleine, vorsichtige
Schritte. Fürchtet, auf den unebenen Quadern unterhalb des
Leuchtturms auszurutschen und ins Meer zu fallen, bleibt
zurück.
    Als ich zurückkomme, sitzt er auf einem Stein und wartet,
tippt auf seinem iPhone herum.

—

MY LIFE AS PHILIP ROTH

—

Das Wasser staut sich auf den Straßen zu schwarzen, scheinbar bodenlosen Seen. Das letzte noch geöffnete Lokal ein Wurstimbiss am Montauk Point State Parkway. Wir essen unter der grellen Deckenleuchte; in den bodentiefen Fenstern, gegen die der Regen schlägt, unsere Spiegelbilder.

Sie sieht ihn mit Wohlgefallen, wenn er speist. (S. 105)

Die Leute hinter der Imbisstheke, auch die Kellnerin im Café, alle sprächen sie hier haitianisches Kreyòl, stellt er fest.

Das kommt bei Frisch nicht vor.
   Nein.

Auch nicht das Handelsschiff, das 1839 in der Nähe anlandet, nachdem die aus dem Gebiet von Sierra Leone verschleppten Männer und Kinder, die zur Arbeit auf den kubanischen Zuckerplantagen bestimmt gewesen waren, an Bord den Aufstand geübt und sich befreit hatten.

—

Die Rezeptionistin schläft vor ihrem Computer, während im Fernsehen der Präsidentschaftskandidat über die Bühne des TV-Studios wandert.

—

Die Priester der Montauk, so Occom, seien erfahren im Umgang mit Gift und Vergiftungen. Manche Vergifteten, schreibt er, berichteten von großen Schmerzen, andere fühlten sich nur immer seltsamer, bis sie völlig außer Sinnen seien: »Manchmal rennten sie ins Wasser; manchmal ins Feuer; und zu Zeiten rennten sie hinauf zu den Spitzen hoher Bäume und stürzten kopfüber zu Boden, aber blieben dabei stets unverletzt.«

Er verstehe nicht, schreibt Occom, selbst Angehöriger der Mohegan, Lehrer und christlicher Missionar, er verstehe nicht, warum dies nicht ebenso wahr sei wie die Hexerei in England oder anderen Nationen, sondern ein großes Mysterium der Dunkelheit &c.

—

Wieder wache ich nach Mitternacht auf und weiß diesmal sofort, dass ich mich im Albatross Motel in Montauk befinde: die klammen Laken, die Feuchtigkeit in allen Zimmern. Auf meiner Brust liegt ein Buch, und die Nachttischlampe brennt: Ich muss lesend eingeschlafen sein. Ich beuge mich zur Seite, um das Licht auszumachen, und in diesem Moment sehe ich einen Schatten, der sich rasch über die Wand bewegt. Ich erstarre, die Hand am Schalter der Lampe. Vorsichtig wende ich meinen Kopf und blicke über meine Schulter, aber der Raum scheint leer und unverändert hinter mir zu liegen. F. hat sich im Schlaf eine Hand auf den Brustkorb gelegt, sein Atem geht langsam.

Es kann nicht viel Zeit vergangen sein, als ich erneut aufwache, weil die Zimmertür leicht auf- und zuschwingt. Draußen im Licht der an der Außenwand angebrachten

Beleuchtung steht ein weißer Pick-up, der am frühen Abend vorgefahren ist. Sand liegt auf den roten Planken vor der Tür. Nebst dem Geräusch der Brandung ist nichts zu hören. Ich atme gepresst, suche das Zimmer mit meinen Augen ab, ohne mich zu bewegen, um nicht zu erkennen zu geben, dass ich wach und, so denke ich in diesem Moment, noch am Leben bin.

Plötzlich scheint es mir unerlässlich, die Tür zu schließen. Ich steige aus dem Bett und gehe Schritt für Schritt durch den Raum, ich bin auf einmal seltsam gefasst. Aus der Außentasche meines Koffers ziehe ich das einfache Klappmesser, mit dem ich auf der Fahrt durch die Hamptons zuletzt eine Birne geviertelt habe.

Statt die Tür zu schließen, trete ich aus dem Zimmer ins Freie. Die Nacht ist kühl, was mir, wie einer Fieberkranken, ganz angenehm ist. Als wüsste ich, wonach ich suche, gehe ich Richtung Küste, ich verlasse den Parkplatz und bahne mir einen Weg durch das hüfthohe Gebüsch, das das Motel vom Strand abschirmt. Ohne Schmerz zu empfinden, spüre ich, wie die Äste meine Beine zerkratzen, ich höre meinen Atem, mein eigenes Keuchen. Ab und zu werfe ich einen Blick über meine Schulter, und immer meine ich schon meinen Verfolger zu sehen, der mich gleich eingeholt haben wird, aber in Wirklichkeit zeigt sich mir immer nur die gleiche menschenleere Szenerie.

Dann stehe ich am offenen Meer, vor mir fällt der Strand steil ab. Die schaumgekrönten Wellen, die auf mich zurollen, hinterlassen schwarze Markierungen auf dem Sand. Das ohrenbetäubende Rauschen des Atlantiks und die unaufhörliche Bewegung des Wassers lassen mich die Übersicht verlieren: Ich weiß, dass sich nun in jedem Moment von jeder Seite jemand auf mich stürzen könnte, ohne dass ich darauf vorbereitet bin.

Entschlossen, mich jeder Gefahr entgegenzuwerfen, umklammere ich den Griff des Messers, und ich stelle mir in diesem Moment vor, wie ich mich auf etwas stürze, das ein Mensch oder ein Tier sein könnte, eine bewegliche, schwer fassbare Masse, und immer wieder zusteche, enthemmt und rasend, und als ich mich endlich aufrichte, das blutige Messer in der Hand, kann ich meine geweiteten Pupillen sehen, das irre Weiß meiner Augen, meinen verzerrten Mund, und ich ziehe weiter über die Insel hinweg, ich trage mein Messer vor mir her, ein Erbstück, das über viele Generationen hinweg an mich weitergegeben wurde, ich hinterlasse eine Spur der Zerstörung, und mein einziger Nachteil ist es, dass ich so weiß bin, dass man mich im Mondlicht schon von weitem sehen kann.

—

The trail along the teepees is thick with the footprints of the palefaces.

(Olivia Ward Bush-Banks: »Indian Trails: or, Trail of the Montauk«)

—

Frisch, der über die Insel geht: Er biegt im Gehen die Äste zurück, die in den Weg hineinreichen, berührt die Stämme der Pech-Kiefern, als nähme er sie auf in sein Inventar, streift die Heidelbeere, den Gagelstrauch, unter seinen Füßen raschelndes Präriegras.

Der Schriftsteller macht die Insel urbar.

Ich weiß ja selbst auch nicht besser, wie das ginge: Die Dinge, die ich beschreibe, mir nicht zu nehmen, sie nicht haben zu wollen und sie nicht zu schmälern, so eindeutig zu bestimmen, sondern sie im Gegenteil noch freier und unabhängiger zu machen, als sie es waren, bevor ich zum ersten Mal ein Auge auf sie warf.

—

Als ich ihn, C., zum ersten Mal sah: Wie er weit entfernt über eine Rolltreppe oder am Rande goldener Felder ging.
   Ich rührte keinen Finger, schaute nur. Und wie schön das war, diese Andacht bzw. dieses Studium.

—

Das Unheimliche der Insel, sage ich zu A., scheint damit zu tun zu haben, dass der wirkliche Ort und jener, von dem ich bei Frisch las, den ich zu kennen meinte, nun gewissermaßen übereinander zu liegen kommen und dabei gespenstische Überlagerungen und Abweichungen zum Vorschein treten.

Vor allem: Der schaurige Irrtum des Paars, es sei alleine hier. Ich sehe sie, den Europäer und die jüngere, rothaarige Amerikanerin, wie sie einem Weg durchs Gestrüpp folgen – weit hinter ihnen der Parkplatz, auf dem sie ihren blauen Ford, einen Mietwagen, abgestellt haben. Menschenleere Gegend.

S. 52:

»Einmal eine Coca-Cola-Dose im Gras; also sind sie nicht die ersten Menschen hier.«

—

Im Fall *PHARAOH v. BENSON et al.* (1910) über den Anspruch auf das Land von Montauk Point:

»There is now no tribe of Montauk Indians. It has disintegrated and been absorbed into the mass of citizens. If I may use the expression, the tribe has been dying for many years.«

—

Als ragte die Vergangenheit nur gerade in Form einer Cola-Dose in die private Gegenwart des Paars hinein: Die Dose als Zeichen im Gras, als in den Text geschmissener Hinweis auf eine zweite, parallel existierende Insel, dicht bevölkert und auf vielfache Weise verbunden mit dem Weltgeschehen.

Jene Insel, auf der die Kreyòl sprechenden Imbiss-Angestellten in einem Glas neben der Kasse Geld sammeln, um Hilfsgüter nach Haiti zu senden.

Auf der die Fernseher die Bilder der Präsidentschaftsdebatte übermitteln.

Auf der die Montauk wilde Vögel jagen und zu ihren Göttern jene der vier Ecken der Erde zählen: den Gott des Ostens, den Gott des Westens, den Gott des Nordens, den Gott des Südens.

Vor deren Küste ein schwarzer Schoner (*La Amistad*) mit zerrissenen Segeln liegt, auf Deck verstreute Essensreste, aufgebrochene Kisten, zerfledderte Stoffe.

—

Sommer 1839: Die *Amistad* hätte die auf dem Markt von Havanna gekauften Männer und Kinder zum weiter östlich gelegenen kubanischen Hafen Guanaja und von dort zu den Plantagen von Puerto Príncipe bringen sollen, aber die Männer hatten sich unterwegs mit Messern aus Zuckerrohr bewaffnet, den Kapitän und den Koch getötet und von ihren Besitzern verlangt, sie zurück über den Atlantik an die westafrikanische Küste zu bringen.

Stattdessen waren die Spanier im Zickzackkurs nach Norden gesegelt: Nach zwei Monaten die äußerste Spitze Long Islands (»the End«/Montauk Point).

—

Das Paar, das über die Insel geht: Den blauen Ford haben sie auf dem leeren Parkplatz zurückgelassen. Sie glauben allein zu sein.

(Erste Einstellung eines Horrorfilms.)

Dann die zerquetschte rote Dose als Hinweis auf menschliches Leben, als beunruhigende Spur. Der nervöse Blick über die eigene Schulter: Ist da jemand?
    Paranoia.

Wo der eigentliche Spuk, sagt F., während er seine Socken anzieht, doch das weiße Paar ist, das so selbstvergessen über die Insel spaziert.

—

Occom in seinem Bericht THE MOST REMARKABLE AND STRANGE STATE SITUATION AND APPEARENCE OF INDIAN TRIBES IN THIS GREAT CONTINENT von 1783:
    »… and when I Come to Consider and See the Conduct of the Most Learned, Polite, and Rich Nations of the World, I find them to be the Most Tyranacal, Cruel, and inhuman oppressors of their Fellow Creatures in the World, these make all the confusions and distructions among the Nations of the Whole World …«

# Ávila

Nachtrag zu Wakefields Kutsche:

Da in England die jungen Frauen aus gutem Hause, schreibt
Flora Tristan in den *Promenades dans Londres*, gezwungen
sind, so öde, so langweilige Leben zu führen, wenden sie sich
den Romanen zu, und sie beginnen unter dem Einfluss dieser
Bücher zu fantasieren: »[S]ie träumen nur noch von Entfüh-
rungen«, genauer gesagt, so Tristan, von einer Entführung,
die »in einer prachtvollen, vierspännigen Kutsche stattfindet«.

Meist warteten sie vergeblich und heirateten dann, spät,
einen einfachen Angestellten usw.

—

Heute ein kleines Heiligenbüchlein über Teresa von Ávila
gefunden, die seraphische Jungfrau,
   *Fürstin der spanischen Mystik,*
   eine »flammende Gestalt«, so der Hagiograf, die durch
die »brennende Landschaft« am westlichen Rand Europas,
durch dieses »Land von merkwürdiger Phantastik« wandelt,
   unweit, im Prinzip, von Afrika.

—

Letztes Jahr schon eine Abbildung der *Verzückung der heiligen Teresa* in einem Ordner abgelegt: Der entrückte Ausdruck im Gesicht, ihr leicht geöffneter Mund, der ein Stöhnen andeutet, der in den Nacken gefallene Kopf der Ekstatischen, die Bernini im 17. Jahrhundert in Rom in weißen Carrara-Marmor geschlagen hat.

—

Notiz des Vaters, Alonso Sánchez de Cepeda: »Am Mittwoch, dem achtundzwanzigsten März des Jahres fünfzehnhundert fünfzehn /1515/ um fünf Uhr früh, mehr oder weniger (denn es war schon fast Tagesanbruch an jenem Mittwoch), wurde meine Tochter Teresa geboren.«

TERESA DE AHUMADA

Die Mutter, Beatriz Dávila y Ahumada, hatte ihren Mann, einen *judeoconverso,* sehr jung geheiratet und mit sechzehn ein erstes Kind geboren, das wie alle nachfolgenden Geschwister den Namen der Mutter oder denjenigen der Großmutter väterlicherseits trug, um keinen Hinweis auf die jüdische Abstammung des Vaters zu geben.

Der Vater, schreibt Teresa in ihrem *Libro de la vida,* war tugendhaft und las gute Bücher, er hätte sich auch nie dazu bringen können, Sklaven zu besitzen, wie es sein Bruder zum Beispiel getan hat.

Die Mutter habe nach Victor García de la Concha eine
»Geheimbibliothek« besessen.

—

Nach Mitternacht wache ich auf, ich steige die Treppe hin-
unter, und siehe da: Die Tür zur Geheimbibliothek meiner
Mutter steht offen. Pure Zeitverschwendung, dass ich das
Passwort (»Derevaun Seraun«) auswendig gelernt habe.

—

Teresa de Ahumada über die Mutter: »Sie war versessen
auf Ritterromane«, wahrscheinlich auch deshalb, weil sie
die immer wieder Niederkommende von ihren Schmerzen
ablenkten. Tag und Nacht habe auch sie, Teresa, in den
Büchern gelesen (sie seien ihrem romantischen Naturell
entgegengekommen, schreibt der Hagiograf). Mutter und
Tochter hätten ihre Arbeit schnell erledigt, um wieder zu
den Büchern zurückkehren zu können: Dem Vater habe es
missfallen.

In dieser Zeit beginnt sie Gold zu tragen, hat Umgang mit
einer leichtsinnigen Cousine, vertreibt sich die Zeit mit den
Hausmädchen, liebt »schimmernde Edelsteine, prächtige
Gewebe, schön geschnitzte Reliquienschreine«, auch einen
Mann, gibt sich allen möglichen Nichtigkeiten hin.
     Wenn sie durch Ávila ging, meint der Hagiograf, blickte
man ihr nach, so schön und sinnlich wie sie war.

Damals sei sie bedroht gewesen von ihren »Tendenzen, die sie ins Nichtige zogen«. Auch viel später noch, als sie schon durch die Klosterpforte gegangen war, aber dort, im Kloster, immer nur im Sprechzimmer saß und schwatzte.

Man übergibt sie den Augustinerinnen des Klosters Nuestra Señora de Gracia, »wo«, wie sie schreibt, »Mädchen von meiner Art erzogen wurden«.

—

Zuvor Teresa de Ahumada als Kind neben dem Taubenschlag in Gotarrendura.

Mit ihrem Bruder Rodrigo de Cepeda im elterlichen Stadt-haus: Zusammen lesen sie die Legenden der Heiligen. Teresa de Ahumada ist sechs Jahre alt. Dringend möchte auch sie, wie die Frauen, von denen die Legenden handeln, als Märtyrerin sterben: Nicht ihrer Liebe zu Gott wegen, sondern weil sie möglichst bald in den Genuss der Dinge, der *großen Güter*, die es im Himmel gibt, kommen möchte.

Der sieben- oder achtjährige Rodrigo de Cepeda und seine jüngere Schwester Teresa de Ahumada, die über den auf-geschlagenen Heiligenbüchern beratschlagen.

Vor der Pfarrkirche San Juan Bautista die Mutter, Beatriz, im Arm ein Kind, das vierte, das sie innerhalb der letzten vier Jahre geboren hat.

Der Vater, Alonso Sánchez de Cepeda, blättert im Lunarium.

Blättert in den Gedichten Vergils.

Im *Retablo de la Vida de Cristo.*

Teresa de Ahumada und Rodrigo de Cepeda beschließen,
ins *Land der Mauren* zu reisen, um dort darum zu bitten,
man möge ihnen die Köpfe abschlagen. Mit Essen in den
Taschen verlassen die Kinder das Stadthaus in Ávila, um
im Namen Christi ihr Leben zu lassen. Sie gehen durch die
Puerta del Adaja und über die Brücke aus der Stadt hinaus,
nicht ohne kurz bei der Nuestra Señora de la Caridad in der
Lazarusklause haltzumachen, und erst als sie sich schon auf
der Straße nach Salamanca befinden, werden sie von einem
Onkel entdeckt, der sie zurück nach Hause bringt.

Das Ganze sei Teresas Idee gewesen, sagt Rodrigo de Cepeda.

Sie lesen und verstehen, dass Pein und Herrlichkeit diese
vergängliche Welt überdauern, und oft sagen sie deshalb
zueinander: *für immer, für immer!*, als handelte es sich um
eine geheime Losung, dank derer sie sich in einer noch
fernen Zukunft wiedererkennen würden.

Im Garten des Landguts in Gotarrendura bauen sie
Einsiedeleien, um dort ein abgeschiedenes, frommes Leben
zu führen, wenn schon der Plan, den Märtyrertod zu sterben,
scheitern musste, aber die kleinen Steingebäude fallen immer
wieder in sich zusammen.

Teresa de Ahumada als Kind, das im Verein mit den anderen Mädchen ganze Klöster konstruiert.

Beatriz Dávila y Ahumada, die in den letzten Tagen des Jahres 1528 ihr Testament aufsetzt.

Man trägt ihre Leiche aus dem Haus in Gotarrendura.

In die Wände des Taubenschlags geritzte Kreuze und andere Zeichen der Frömmigkeit.

—

Wenn es bei Ellen West hieß, sage ich zu A., sie beiße in alles Leben gierig hinein, so lässt sich dasselbe auch über Teresa de Ahumada sagen:

Sechsjährige Fanatikerin, die alle überflügeln und direkt in den Himmel auffahren will,

lange Jahre hin- und hergerissen zwischen der WELT (*mundo*) – dem Geplapper im Sprechzimmer des Klosters, den schimmernden Edelsteinen – und der WAHRHEIT (*verdad*),

später dann die Ekstase (ékstasis: das Aus-sich-Heraus-treten, das Außer-sich-Sein).

Wie EW als russische Nihilistin unter den Armen leben und für die *große Sache* werben will.

Wie sie immer wieder hungrig vor dem Schrank steht, in dem das Brot liegt, von dem sie einfach nicht lassen kann.

—

Ich stehe vor dem Schrank, in dem das Brot liegt:

J'ai faim.

Einmal, vor einigen Jahren, als ich in Eile über die Hohlstraße Richtung Kalkbreite gehe, Brötchen in der Hand, und mir einer von zwei Malern in Malerhosen auf der Bank bei der Tramhaltestelle zuruft: Iss nicht so gierig.

Der Fußgänger an einer Straßenecke in der Nähe der Kew Gardens: Come on, lady, smile.

Nachdem ich mich betrunken habe, immer die Furcht, ich hätte zu viel geredet, mich gehen lassen.

Dagegen der Vater, der zur Mutter sagt: Sie hat den Mund wieder nicht aufgemacht.

Den Mund nicht auseinandergebracht.

Einen Lätsch gemacht (den Mund verzogen).

—

»Gepriesen seist du, Herr, daß du mich so lange ertragen hast! Amen.«
    (Das Buch meines Lebens, S. 96.)

—

– Du bist ja Katholikin.

– So ist es jedenfalls eingetragen, und ich zahle auch die Kirchensteuer.

– Bist du auch tatsächlich zur Kirche gegangen?

– Als Kind, ja. Dienstags schickten uns die Eltern in die Schülermesse. Das war dann so, dass wir alle jedes Mal fünfzig Rappen erhielten, mit denen wir uns nach der Messe auf dem Weg zur Schule ein Bürli kaufen konnten. Das ist, falls es dir kein Begriff ist, ein kleines, sehr gutes Brot mit dunkler, mehlbestäubter Kruste.

– Die Messe wurde morgens gehalten?

– Um sieben oder halb acht Uhr früh, auf jeden Fall so, dass wir anschließend noch rechtzeitig zur Schule gelangten. Ich hatte dann immer schon dieses Brot vor Augen, das wir beim Brander, so hieß der Bäcker, kaufen würden. Du musst dir vorstellen, das ist so ein rundes Brötchen mit einer relativ harten Kruste, die du dann aufbrichst, und das Innere ist sehr weiß und weich und dicht. Dieses Brot nahm in einem gewissen Sinn jeden Dienstag völlig überhand, man könnte sagen, es geschah alles in seinem Namen, und ich war nicht die Einzige: Alle liefen danach gleich zum Brander und kauften sich ein Bürli. Wir saßen ja auch immer in den Bänken und hörten, wie der Herr das Brot nahm und es brach und sprach: Nehmet und esset alle davon: Das ist mein Leib, der für euch hingegeben wird. Und dann gingen wir und ließen uns eine Hostie in die Hand legen.

– Hast du das gern gemacht?

– Die Kommunion?

– Überhaupt, in die Messe zu gehen.

– Ich glaube, ich war ein sehr kontemplatives Kind, in dem

Sinn, dass ich viele Dinge getan habe, ohne etwas dabei zu denken, also zu verstehen oder es auch abzulehnen: Ich saß einfach da und wartete. Jetzt, wo ich das sage, denke ich: ein idiotisches Kind. Ich weiß zum Beispiel, dass ich Stunde um Stunde, wirklich jahrelang den einen der beiden inneren Seitenaltäre angeschaut habe: Er zeigt, das habe ich erst kürzlich recherchiert, er zeigt den heiligen Sebastian, den man an einen Baumstamm gefesselt und dann von numidischen Bogenschützen hat erschießen lassen. Und er hat einen sehr schönen Körper, ganz blass, seine römische Toga ist ihm bis auf die Hüfte runtergerutscht oder wurde ihm heruntergerissen, während man ihn zu diesem Baum schleppte. Und im linken Oberschenkel, in der Brust und in der Nähe des Herzens eben die Pfeile der Numiden. Aber ich erinnere mich nicht daran, in all den Jahren, in denen ich den Altar betrachtete, einmal einen aufschlussreichen oder forschenden Gedanken zu dieser Darstellung gehabt zu haben: Ich schaute nur.

– Es gab also für dich als Kind auch keine Phase des religiösen Eifers, wie man das aus manchen Berichten kennt?

– Nein, obwohl mich das Ritual, die feierliche Handlung, auch etwas, was ich als dunkle Hingabe empfand, immer schon bewegten.

– Was meinst du damit – dunkle Hingabe?

– Etwas Ritualisiertes, wenig Bewusstes. In einer Kapelle ganz nah am Haus meiner Eltern kamen jeden Abend im Mai, dem Marienmonat, die Frauen aus den umliegenden Häusern zur Andacht zusammen, Bäuerinnen, Mütter, Greisinnen, sie knieten in den engen Bänken und beteten den Rosenkranz, ein monotoner Singsang, der ihnen ganz mühelos über die

167

Lippen ging, sodass sie sich im Gebet bestimmt entfernten, noch einmal über die eben gemähten Wiesen gingen oder ganz woandershin, weg, und in meiner Erinnerung ist es dunkel in der Kapelle, es brennt nur die eine Kerze, die sie zu Beginn selbst angezündet haben, und die Frauen tragen schwarze Trachten, den Habit spanischer Nonnen, aber das stimmt natürlich nicht.

—

Teresa de Ahumada empfindet »große Abneigung gegen das Klosterleben«, aber wenn sie z. B. eine Schwester sieht, die beim Beten zu weinen beginnt, wird sie eifersüchtig.

—

Sie möchte keine Schwester werden, sage ich zu A., fürchtet sich aber auch vor der Ehe: die Wahl zwischen Orden und Heirat nicht zuletzt als Entscheidung, zu gebären (wie die Mutter) oder es nicht zu tun.

Und wenn das gute Leben als eines verstanden wird, das mit einer gewissen Intensität gelebt wird, das ganz ausgekostet wird, warum nicht die radikale, die extreme Hingabe, die Entdeckung der Leere, die Ekstase,

ich verstehe das gut.

Die Ekstase als Entfernung von einer Stelle, als Aus-sich-Herausgehen.

Das Wörterbuch gibt das griechische *ekstatikós* mit *ver-rückend* und *verrückt* an, sage ich zu A., oder wie die Mutter Evelines schon sagte: »I have been there; you should go there« / »The end of the song is raving madness«.

Am 2. November 1535 tritt Teresa de Ahumada jedenfalls ins Kloster La Encarnación in Ávila ein. Als sie das Stadthaus und ihren Vater frühmorgens verlässt, hat sie das Gefühl, es löse sich jeder ihrer Knochen in ihr.

—

Begeisterung der Novizin über das Leben im Kloster. Wunsch, an einer Krankheit zu sterben, um rasch zu den ewigen Gütern zu gelangen. (Ellen West, die scharlachkranke Kinder küsst.) Übung in der Abkehr von der Welt: Jene, die ihr (*mundo*) noch nachlaufen, tun ihr leid.

Große innere Unruhen.

Ohnmachtsanfälle, wie sie sie von früher kennt, etwas scheint mit ihrem Herzen nicht zu stimmen.

—

Dann Teresa de Ahumada Ende 1538 auf dem Weg durch die winterliche Provinz nach Castellanos de la Cañada. Der Vater hat sie zur Kur zu einer weitherum bekannten Heilerin, einer »curandera« nach Becedas geschickt.

Unterwegs der Onkel Pedro de Cepeda, der ihr in Hortigosa das *Dritte ABC* mit auf den Weg gibt. Bei ihrer Schwester María de Cepeda wartet die Kranke den Frühling ab. Im April erreicht sie Becedas.

Der Pfarrer von Becedas, Pedro Hernández, der Teresa de Ahumada die Beichte abnimmt, trägt ein kupfernes Amulett um den Hals. Es bindet ihn an eine Unglückselige, mit der er seit fast sieben Jahren Umgang pflegt. Teresa de Ahumada lässt es in den Fluss werfen.

Und hätten sie Gott nicht vor Augen gehabt, sie und der Pfarrer, hätte es auch zwischen ihnen zu schweren Verfehlungen kommen können.

—

Abends Ortega y Gassets »Über die Liebe« (1933) in die Hand genommen.

INHALT

Vom Einfluß der Frau auf die Geschichte ......................... 9

Betrachtungen vor dem Porträt der Marquesa
de Santillana ......................................................... 45

[…]

Züge der Liebe (Ein Fragment)

Prolog ........................................................... 95

Die Liebe bei Stendhal ...................................... 107

Verliebtheit, Ekstase und Hypnose ................................ 144

Die Liebeswahl ................................................ 167

[…]

S. 145: Der »sonderbare lexikalische Austausch zwischen Liebe und Mystik« als Hinweis auf die tiefe Verwandtschaft der beiden.

Der Verliebte wie die Mystikerin wendeten sich dem einen (dem Lauf eines Bächleins, der Geliebten, Seiner Majestät IHS) zu und auf diese Weise zugleich ab von allem anderen: »Ein großes Fahrenlassen aller Dinge«.

S. 157: »Der Drang, aus sich herauszugehen, hat alle Formen des Orgiasmus hervorgebracht: Trunkenheit, Mystik, Verliebtheit usw.«

—

Aus dem Zugfenster beim Bahnhof von Uzwil Kreidekreuze auf dem Asphalt gesehen. **J3SUS, ich bin immer bei dir!**

—

Die Kur in Becedas bringt Teresa de Ahumada fast ums Leben; die Umstehenden müssen sie bereits für tot gehalten haben, denn später findet sie noch das Wachs auf ihren Augenlidern, mit dem man zu dieser Zeit den Toten die Augen verschließt.

—

Im Sprechzimmer des Menschwerdungsklosters sieht Teresa de Ahumada mit den Augen der Seele das Antlitz Christi in großer Strenge (1538?).

1556 oder 1557: »eine so plötzliche Verzückung, daß sie mich fast aus mir herausriß«. Der Herr möchte, dass sie nur noch mit Engeln Unterhaltung pflegt.

Am Fest des hl. Petrus und Paulus im Jahr 1560 meint sie, Christus neben sich zu spüren. Sie weint vor Angst, aber sobald er zu ihr spricht, beruhigt sie sich, ist wieder »von Wonne erfüllt und ohne jede Furcht«.

Einige Tage später zeigt er ihr seine Hände, die von sehr großer Schönheit sind; kurz darauf sein Gesicht.

Vermutlich am 25. Januar 1561 sieht sie den Auferstandenen. Im Vergleich zum Licht, das diese Visionen begleitet, scheint die Sonne ganz lichtlos.

Hin und wieder die Vision des Herrn am Kreuz, im Garten oder mit der Dornenkrone.

Mehrmals ein Engel zu ihrer Linken, der in Flammen zu stehen scheint. Er stößt ihr einen langen goldenen Pfeil ins Herz und zieht ihn wieder heraus. Sie brennt vor Liebe zu Seiner Majestät: Die großen Schmerzen lösen eine überwältigende Zärtlichkeit aus.

»14. An den Tagen, an denen dies andauerte, war ich wie benommen. Am liebsten hätte ich nichts sehen und reden, sondern mich nur meinem Schmerz hingeben wollen, der für mich größere Herrlichkeit bedeutete als alle zusammen, die es in der geschaffenen Welt gibt.«

—

Willst du nicht, schreibe ich an C., willst du nicht die Kirche sehen, die ich eigenhändig errichtet habe in den letzten Wochen und Monaten, ihre Kuppel ist größer als die des Mailänder Doms, d. h. willst du nicht endlich Messe halten mit mir, ich bin seit langer Zeit schon bereit für die hl. Kommunion mit dir.

—

Die mystische Begeisterung, schreibt Ortega y Gasset, kennt ja auch der Dichter, der ständig an seine erfundenen Personen denkt, z. B.

»Balzac, wenn er eine geschäftliche Unterredung mit den Worten abbricht: ›Eh bien, kehren wir zur Wirklichkeit zurück. Sprechen wir von César Birotteau!‹«

Ebenso die Verliebten, in deren Augen ihre Geliebten die Welt gewissermaßen gekapert haben.

Und ließe sich nicht Ähnliches sagen über die Entdecker und Eroberer, in deren fiebrigen Wachträumen nur noch die *Neue Welt* figuriert. Halluzinationen von Zuckerbergen, Flüssen aus Gold und unberührten Ländereien: »Der Drang, aus sich herauszugehen«, der sich in den europäischen Flotten manifestiert.

—

Eveline, die, als sie sich für oder gegen die Überfahrt auf dem Nachtschiff entscheiden muss, an die Worte der Mutter denkt: *Derevaun Seraun!* (»The end of the song is raving madness.«)

—

Es heißt jedenfalls, die Brüder Teresa de Ahumadas seien alle »in die neuentdeckten Länder Westindiens (Las Indias)« ausgewandert, wo sich niemand für ihre jüdische Abstammung interessierte.

Hernando de Ahumada verlässt Spanien um das Jahr 1530,

Rodrigo de Cepeda folgt dem Konquistadoren Juan de Ayolas auf einer Expedition entlang der Flüsse Paraná und Paraguay und stirbt angeblich »in der Wildnis des Gran Chaco am Río de la Plata im Kampf gegen die Einheimischen«,

Lorenzo und Jerónimo de Cepeda reisen im Gefolge des spanischen Richters Cristóbal Vaca de Castro nach Panama, von dort möglicherweise über Buenaventura, Cali und Popayán nach Quito,

Antonio de Ahumada und Pedro de Cepeda verlassen Europa auf einem der fünfzig Schiffe der Flotte des ersten Vizekönigs von Peru, der der Bruder von Teresa de Ahumadas Taufpaten Francisco Velásquez Núñez Vela ist,

Hernando de Ahumada trägt im Januar 1546 eine Fahne in die Schlacht von Iñaquito,

jene Schlacht, aus der Antonio de Ahumada Kopfverletzungen davonträgt, die er nicht überlebt,

Pedro de Cepeda erkundet Florida im Gefolge Ponce de Leóns, wird später angeblich zum Melancholiker,

als letzter der Brüder überquert Agustín de Ahumada im Jahr 1544 oder 1546 den Atlantik, kämpft in Chile gegen die aufständischen Mapuche, wird Gouverneur von Tucumán, Vater eines Mädchens (Leonor),

Lorenzo de Cepeda heiratet in Lima die Tochter eines Konquistadors, sie gebiert sieben Kinder und stirbt, noch bevor sie dreißig ist.

Derweil die ekstatische Schwester zu Hause alle Dinge fahren lässt.

# Reno

– Wie geht es dir?
– Gut.

—

Gestern mit dem Rad zum Max Frisch-Archiv hochgefahren:
Aus den Typoskripten, sagt der Leiter des Archivs, als wir vor
seinem Computer stehen und er durch die Digitalisate klickt,
könne nicht ohne Weiteres zitiert werden,
    auch nicht aus den Fragen, die Elisabeth Johnson nach
der Lektüre des »Montauk«-Manuskripts für Frisch notierte,
darunter eine zur Passage Roth / MY LIFE AS A MAN.

Stattdessen legt er mir ein paar Bücher heraus über Frisch
und den amerikanischen Kontinent (»AMERIKA!«, »Fünf
Orte im Leben von Max Frisch«, »Schweizer entdecken
Amerika« etc.).

Irgendwo Frischs Aufzeichnungen aus Reno, Nevada, wo er
eine Nacht in den Spielhallen verbringt:
    »Spukhafter Eindruck überall stehen Leute vor den Glücks-
maschinen, werfen Geld ein und manipulieren. […] Die Verlierer wahren das Gesicht, aber zittern mit den Fingern.«

—

Die Erinnerung daran, wie F. während einer Autofahrt von einem Casino am Stadtrand von Philadelphia erzählt: *The Sugarhouse.*

Gieße nachts die Pflanzen, obwohl C. kürzlich davon abgeraten hat.
    Aber ich höre doch,
    wie sie ganz gierig trinken:
    schlotz, schlotz, schlotz.

—

Nachricht an den Videoreporter (Müller), der den Lottokönig Bruni in den Achtzigerjahren fürs Schweizer Fernsehen porträtiert hat: Würde sehr gern, falls möglich, Ihre Filme sehen etc., freundliche Grüße.

Erst später der Gedanke, dass die Existenz der Filme ja bedeutet, dass er, Müller, selbst bei der Versteigerung am Thunersee dabei gewesen sein und aus nächster Nähe gesehen haben muss, was ich nur als bewegtes TV-Bild kenne: die Frauen und Männer, die sich im »Bären« in Spiez über den Besitz des ruinierten Spielers beugen,
    eine cremefarbene Polstergruppe, Weingestelle, ein Karabiner 31, die zwei Figuren aus dunklem Holz oder poliertem Stein.

—

Zum Trinker, der Mystikerin und der Verliebten, die Ortega
y Gasset in VERLIEBTHEIT, EKSTASE UND HYPNOSE
als zum Orgiastischen Tendierende anführt, sage ich zu A.,
müsste doch nicht nur die maßlose Esserin, sondern auch
der Spieler hinzugefügt werden, der *gambler*, der die Nächte
fiebrig vor den verheißungsvoll blinkenden Maschinen im
*Sugarhouse* verbringt.

Allerdings scheint gerade der Lottospieler eine seltsame
Ausnahme von diesem Prinzip darzustellen, hat er doch
sein Spiel auf geradezu protestantische Weise eingerichtet,
sodass der einzige kurze Augenblick der Erregung am Sams-
tagabend eintritt, wenn bei der Ziehung der Lottozahlen im
Fernsehen die nummerierten weißen Kugeln eine Zeit lang
in der Trommel hin und her rollen, aneinanderstoßen, sich
auftürmen und dann einzelne von ihnen ihren Weg in die
Zylinder finden.

—

Plötzlich ist es wieder warm geworden, morgens gleich die
Fenster auf, es sind so viele Vögel hier draußen, und weil die
Nachbarn auf ihren Balkonen Kerne auslegen, sehe ich aus
dem Augenwinkel immer wieder Meisen, Spatzen auf das
Gebäude zustürzen, purer Wahnsinn um sechs Uhr früh, als
lebte ich in *einer großen Voliere.*

—

Lese Gerhard Meier, Pflanzen und Wolken, kaufe mir
im Netz all seine Bücher zusammen nur seiner Wolken-

beschreibungen wegen: die Wolken der Nächte, lichte Wolken, Wolken über dem Jura »wie ein abrollendes abstraktes Gemälde von riesigem Längenmaß«.

—

Bruni am 17. Mai 1979 zu Gast in der Sendung »Musik & Gäste«. Keine drei Wochen zuvor, am 28. April, hat ihn die Ziehung der Lottozahlen zum König gemacht.

Nun sitzt er dort an einem Tischchen im hellblauen Anzug, Ton in Ton fast mit dem blauen Tischtuch, hinter dem Frischgekrönten seine Frau und sein Chef vor einem Glas Orangensaft. Blumen.

Die Pepe Lienhard Band, die die Sendung mit dem Stück »Café, Café« eröffnet: Lienhard und die Bläser in bunten, glänzenden Anzügen, rotes Scheinwerferlicht, dann eine Tänzerin: Eine schwarze Frau mit einer Blume über dem Ohr und einem weißen Blüten- oder Muschelkranz um den Hals, also irgendwie pazifisch oder doch im Zusammenhang mit der Karibik, den brasilianischen Kaffeeplantagen, ich weiß es nicht, und dann tritt eine zweite Tänzerin ins Bild, auch sie ist schwarz, ihr rotes Kleid tief, fast bis zum Bauchnabel ausgeschnitten.

Pepe Lienhard spielt Querflöte. Die Musiker singen »café, café, café«.

Und dort, die Bilder beweisen es, sitzt WB, der verhaltene König, unter den Gästen im Studio und schaut zu.

Später auch die Spiezer Versteigerung im Fernseh-Archiv wiedergefunden. Die Aufnahme setzt einige Sekunden früher ein als in der Version, die ich schon kenne. Zum Kauf stehen einige Weinflaschen. Dann die zwei Figuren: *So meine Damen und Herren wir gehen ins Exotische wie ihr seht hier*

—

Wie widerwillig ich das in den Text hineinschreibe, die Beschreibung der Tänzerinnen: Weil doch mit der Sprache eigentlich eine Zukunft vorgestellt und versucht werden will, in der diese Art zu schauen und die dazugehörigen Wörter längst ganz irrelevant sind,

und wenn es so weit ist, in dieser Zukunft, wird auch dieser Text eben ganz gestrig sein.

Wie wenn ich in den Texten der vergangenen Dekaden, Jahrhunderte über solche sprachlichen Relikte stolpere, die ihnen, den Texten, auf der Stelle alles Visionäre nehmen und sie verwandeln in reine Dokumente ihrer Zeit.

Oder wie es Michel-Rolph Trouillot an einer Stelle schreibt:

»One will not castigate long-dead writers for using the words of their time […] I am not suggesting that eighteenth-century men and women *should* have thought about the fundamental equality of humankind in the same way some of us do today. On the contrary, I am arguing that they *could not* have done so.«

Genauso wie noch für die radikalsten Denker der europäischen Aufklärung die Haitianische Revolution ganz undenkbar gewesen sei.

—

Nach Mitternacht wache ich auf und steige die Treppe runter. Im Wohnzimmer tanzt der Lottokönig zur Musik der Pepe Lienhard Band, die aus dem Lautsprecher des Fernsehgeräts scheppert. Das Licht des Bildschirms fällt flimmernd in den Raum. Der tanzende König hat die Arme seitlich von sich gestreckt und wiegt seinen Kopf im Takt der Musik hin und her, er dreht sich mit schlenkernden Armen um die eigene Achse, bewegt seine Lippen zum Text: *café, café, café.*

Ich klopfe laut gegen den hölzernen Türrahmen, und als der Tanzende mich bemerkt, dreht er sich noch ein letztes Mal um die eigene Achse und steht dann, leicht schwankend, still. Hören Sie, ich würde gerne schlafen, sage ich, es ist schon spät, und ich bin müde, aber bei dieser Lautstärke ist das leider überhaupt nicht möglich. Sofort beugt sich der große König zum Fernseher hinunter und macht ihn aus. Dann setzt er sich auf das Sofa, vornübergebeugt, und stützt den Kopf mit seinen Händen auf. Tut mir leid, sage ich. Ja, schon gut, winkt er ab, schon gut, gar kein Problem.

—

– Wie geht es dir?

– Es wächst mir alles über den Kopf.

– Das Gestrüpp, von dem du gesprochen hast?

– Von mir aus, wenn du es so nennen willst.

– Kannst du mehr dazu sagen?

– Es wird mir alles zu viel. Wo ich doch am Anfang dachte, ich müsse alles irgendwie zusammenklauben, zusammentragen, drängen sich mir die Dinge nun geradezu auf, ich sehe überall Zeichen und Zusammenhänge, als hätte ich eine Theorie von allem gefunden, was natürlich kompletter Unsinn ist.

– Ich stelle mir das aber im Grunde doch beglückend vor, die Feststellung, dass sich, wie ich dich jetzt verstehe, mit einem Mal Sinn herstellt.

– Es gibt eine Episode aus meiner Kindheit, die in meiner Familie gern erzählt wird: wie nämlich mein Vater als Forstadjunkt einmal zu einer Alp hochfuhr und mich, aus einem Grund, den ich nicht kenne, mitgenommen hat. Ich muss fünf oder sechs Jahre alt gewesen sein, jedenfalls erinnere ich mich daran, dass ich aus den Fenstern des weißen Jeeps vor allem die baumfreien Regionen, die felsigen Hänge vor dem trüben Himmel sah. Nach der Fahrt hoch zur Alp über die steil ansteigende Straße standen wir am Rand eines Bergsees, und während sich also mein Vater mit dem Landwirt unterhielt, der seine Tiere dort sömmerte, sah ich, das Kind, in einiger Distanz eine Ziege. Und du weißt ja, wie das ist, ihr weißes Fell leuchtete mir entgegen, und natürlich wollte ich unbedingt in die Nähe dieser Ziege gelangen, ich wollte das Rätsel lösen, das die Ziege, die wie ein Phantom mitten in der Wiese stand, mir stellte, aber schon damals wusste ich natürlich, dass es unter Umständen nicht so einfach war, in ihre Nähe zu gelangen: Ich musste mich dem Tier empfehlen, ich musste eine Sprache für die Ziege finden, ich musste ihr zu verstehen geben, dass ich sie zwar betrachten, aber nicht töten wollte. Jedes Kind weiß von der Unberechenbarkeit, dem Eigensinn der Tiere. Oft entwischen sie im letzten Moment. Was ich sagen will: Wie ich damals dieser Ziege gegenüberstand, die nicht viel kleiner war als ich selbst, wie wir uns Aug in Aug gegenüberstanden, so hatte ich auch hier angefangen, mit diesen Überlegungen: Ich rechnete durchaus damit, dass alles fruchtlos bleiben würde.

– Aber?

– Aber kaum hatte ich, das Kind, also den Plan gefasst, mich der Ziege zuzuwenden, traten hinter dem Tier weitere Ziegen auf die Wiese, und zusammen setzten sie sich augenblicklich in Bewegung und kamen rasch auf mich zu, die ganze Herde des Bauern trabte in meine Richtung. Du kannst dir vorstellen, dass ich jubelte bei der Aussicht, dass die Ziegen so ganz freiwillig herkommen würden, und mein Vater wird noch etwas gesagt haben wie »Schau, die Ziegen kommen«, den Bauer hingegen werden seine Tiere nicht weiter interessiert haben, die dann sehr zielstrebig auf mich zusteuerten, das Kind, das kaum größer war als diese Ziegen. Sie umringten mich, drängten sich zu mir vor, die hinteren stellten sich auf die Hinterbeine, um mich so über die Köpfe der vorderen hinweg zu sehen. Ich erinnere mich an ihre kühlen, wässrigen Augen, lustige Augen, an ihre schmalen Köpfe und ihre hellen Nasen, mit denen sie mich anstießen, und dann an ihre Zungen, mit denen sie über meine Hände und mein Gesicht zu fahren begannen.

Ich sehe genau, wie das Kind diese Geister, die es kurz zuvor noch rufen wollte, nun mit beiden Händen zu vertreiben versucht, wie es die zudringlichen Tiere, die sich so hemmungslos auf es stürzen, die es belagern, immer wieder von sich stößt. Der Vater und der Landwirt belustigt: Die Ziegen haben noch niemandem etwas zuleid getan. Aber dem Kind ist es zu viel, es sieht nur noch die Zungen und die Münder, die sich öffnen, es spürt die Körper der Ziegen an seinem eigenen Körper und die Klauen, mit denen sie ihm auf den Füßen rumstehen, und es beginnt laut zu weinen, und viel später noch, als es längst wieder auf dem Rücksitz des Autos sitzt, ist es noch immer erschöpft und fassungslos.

– So siehst du dich jetzt?

– Nur dass die Ziegen in diesem Fall nun körperlos sind.

– Wobei es doch stimmt, dass die Ziegen, wie dein Vater und der Bauer sagten, dass sie eigentlich ganz harmlos sind.

– Aber dieses Verlangen, mit der Ziege zu sprechen, die Ziege zu verstehen, das ist doch unter Umständen nicht ungefährlich.

—

– Ich habe nun noch einmal länger darüber nachgedacht, was du über die Ziegen gesagt hast. Und was mir dann eingefallen ist: Dass die berühmten Medien nach ihren Sitzungen jeweils eine Art Zusammenbruch erfahren und unter großer Erschöpfung leiden.

– Vor einigen Tagen, nachdem ich wochenlang im *Libro de la vida* von den Krankheiten und Ekstasen der heiligen Teresa gelesen und mir einen Reim darauf zu machen versucht hatte, begannen auf einmal meine Glieder sehr zu schmerzen oder vielmehr zu zittern, sodass ich tagelang kaum mehr aufstehen mochte. Ich schleppte mich in die Waschküche, und wenn es sein musste, ging ich einkaufen, das war alles, und meine Mutter meinte am Telefon, mir fehle es vielleicht an Eisen im Körper, daran litten viele Frauen, und also nahm ich Eisenpräparate und Magnesiumtabletten und so weiter zu mir, du weißt schon. Der Punkt ist, dass ich sehr spät erst dachte, wie lustig es doch sei, dass mich gerade jetzt, da ich mich mit den Ohnmachten und den Schmerzen der Heiligen beschäftigte, diese eigentlich grundlose Schwäche befallen hatte. Also ich glaube schon, dass wir uns eben in diesen Momenten außerhalb dessen bewegen, was wir verstehen, und dass das sehr anstrengend ist. Und wie dann, wenn zu viel von dem Medium verlangt wird, auf einen Schlag das Gespräch abbricht und das Medium niedersinkt, als hätte man ihm einen Stromstoß verpasst, das leuchtet mir ein. Im Wörterbuch heißt es ja auch, das Wort »ahnen« komme vom mittelhochdeutschen *mir, mich anet*: ›Es kommt an mich heran‹, d. h. ›ich sehe voraus‹. Das Kind ist so müde, weil ihm die Ziegen so nah gekommen sind.

# Bucht von Praia

Eines der ersten Bücher, die ich zur Hand nehme, nachdem ich angefangen habe, die Dinge auf dem Platz (NEW WORLD PLAZA) zusammenzutragen, nachdem ich begonnen habe, nach Analogien und Fortsetzungen zu jener unlösbaren Szene in Spiez zu suchen und über *den Sprung* nachzudenken, den Sprung über den Spalt hinweg, ist Flora Tristans »Reise nach Peru«.

Tristan: Tochter des Don Mariano Tristán y Moscoso und der Anne-Pierre Laisnay. Verlässt Frankreich im Jahr 1833 mit dreißig Jahren an Bord der *Mexicain*, um in Arequipa die adlige Familie ihres peruanischen Vaters aufzusuchen und ihr Erbteil einzufordern. Damals ist sie bereits Mutter und hat auf der Flucht vor ihrem Ehemann monatelang unter falschem Namen gelebt.

Er (Chazal) habe dem Glücksspiel gefrönt, habe die Erträge seines Geschäfts dem Spiel geopfert.

Auch damit hätte ich vielleicht beginnen können. Ein erstes, ungenaues Echo auf die Szene am Thunersee, eine Transposition.

—

Wie wir in der Schule das Transponieren lernten. Die Spiegelung und das Vergrößern und Verkleinern geometrischer Körper bei unveränderten Seitenverhältnissen.

—

Aufwachen, ohne zu wissen, wer man eigentlich ist und mit welchen Plänen man am Vorabend zu Bett gegangen. Aus dem Schlaf durch einen langen Tunnel emporgestiegen. Das Zwitschern der Vögel durchs geöffnete Fenster. Erst nach und nach fallen mir alle Dinge wieder ein, auch C., wie eine ferne Erinnerung, eine vor Jahren im Vorbeifahren aus dem geöffneten Autofenster gesehene, vom Licht ausgebleichte Landschaft.

—

– Kürzlich bin ich nach Mitternacht aufgewacht, eine Weile lang lag ich da, ohne etwas zu tun, dann stand ich auf, öffnete die Tür des Zimmers, in dem ich mich befand, und stieg die im Dunkeln liegende Treppe hinunter: Ich befand mich im Haus meiner Eltern, wo von den Schlafzimmern eine hölzerne, am unteren Ende leicht gewundene Treppe ins Erdgeschoss hinunterführt, und ich realisierte noch in diesem Moment, wegen dieser Treppe, dass es sich um einen Traum handelte, dass ich also diese Treppe im Traum hinunterstieg und in Wahrheit immer noch schlief. Item: Ich steige also diese Treppe hinunter, und schon im Flur sehe ich, dass noch Licht brennt in der Küche. Mit zur Seite gestreckten Armen taste ich mich vor und gehe auf diesen hellen Ausschnitt, die geöffnete Küchentür zu, und dann, noch bevor mich das Licht erfasst und preisgibt, sehe ich, dass in der Küche meine drei Tanten sitzen, und es riecht nach Haschisch, und eine meiner Tanten gießt Rum in kleine Becherchen. Und wie ich da stehe, in meinem Nachthemd, denke ich sofort an die ersten Seiten von »Herz der Finsternis« und die Männer, deren Schiff vor der Themsemündung liegt und das Ende der Flut abwartet, frag mich nicht, warum. Jedenfalls sehen mich die Tanten dann und sagen, ich solle mich zu ihnen setzen, und ich setze mich also und schaue ihnen lange dabei zu, wie sie rauchen und unter der tief hängenden Lampe Domino spielen.

– Sind sie tatsächlich Raucherinnen, deine Tanten?

– Nein.

– Das war das Ende des Traums?

– Nein. Als ich schon meine, draußen, vor dem Küchenfenster, werde es langsam hell, fragt eine meiner Tanten, ohne ihr Gesicht vom Spiel abzuwenden, wie es mir gehe, und ich sage, gut gut, und sehe, wie sich draußen die Blätter des Buchsbaums langsam aus der Dunkelheit lösen, und im nächsten Moment sitze ich allein an dem nun leeren und sauberen Tisch, es ist ein Wintermorgen, die dünnen Äste der Vogelbeere vor dem Fenster sind mit einer feinen Schicht Schnee überzogen, und der Himmel ist bedeckt, aber sehr hell. Ich stehe auf und lege eine Kapsel in die Kaffeemaschine meiner Eltern. Das Geräusch des Geräts ist durchdringend. Mit der Tasse in der Hand gehe ich dann durch die Räume des Hauses, die alle in dasselbe winterliche Licht getaucht sind, und betrachte dieses System von Zimmern und Kammern, in denen ich meine Kindheit verbracht habe und die ich so gut kenne wie kaum etwas anderes. Auf einem Regal kleine tönerne Figürchen, die der Bruder meines Vaters, ein ehemaliger Priester, aus Peru mitgebracht hat, als ich noch ein Kind war, eine Eule mit aufgerissenen Augen, eine Flöte, ein langhalsiges Lama.

– Peru?

– Wo er sich im Namen einer Missionsgesellschaft aufgehalten hat.

– Würdest du also sagen, es setzt sich da etwas bis in deine Familie hinein fort, ein Teil dessen, was du hier zu fassen versuchst?

– Vielleicht, ja. Obwohl man sagen muss, dass es sich um eine sehr unauffällige Familie handelt.

– Vor diesem Regal bist du dann aufgewacht?

– So ungefähr.

—

In einer Sendung des Schweizer Fernsehens (»Der König und sein Chef«) streift die Kamera in Minute 49:36 eine der zwei Figuren, die später in Spiez zur Versteigerung kommen. Da steht sie auf dem Regal in der Wohnung des Arbeiters und Lottokönigs WB, heil, unberührt,

vor ihr eine kleine Sammlung von beschrifteten Steinen und Kristallen, wie ich sie nach dem Tod meines Großvaters vom Regal in seiner Wohnung nahm:

*Rom Feb. 1980 Katakombe S. Callisto / Lourdes 1985 /*
*Puna Wüste Chivay 14.7.93 / Matchu Pitcchu 21.7.1993 /*
*Maras Salina Urub. 25.7.1993 / Ollantaytambo 26.7.93*

—

Die Limmat heute so grün und träge, eingefasst von grünen
Bäumen, die dicht am Wasser stehen, ihre grün beblätterten
Äste reichen weit über das Wasser hinaus, während ich
im Zug an ihnen vorbeipresche, dann die Autobahn, der
Himmel darüber ganz kindisch blau.

Weil ich mit meinen Aufzeichnungen in Verzug geraten bin,
weil ich, ehrlich gesagt, auch die Nase voll habe davon, alles
mitzuschreiben, kann ich alle möglichen Dinge nicht mehr
an ihrer eigentlichen Stelle unterbringen,
      z. B. dass ich vor vier Tagen noch an einem Bahnsteig
am Bahnhof von Lyon-Part-Dieu stand, zufällig: Es war
ein Samstagvormittag, danach fuhren wir weiter durch das
Departement Ain nach Genf, wo wir Orangensaft und Milch-
kaffee tranken und von weitem, über den Hausdächern, den
Jet d'Eau sahen.

—

Auch nicht, dass ich davor wochenlang rekonvaleszent auf
dem Sofa lag: In der Küche stapelten sich die Töpfe und
Pfannen, in denen ich Wachteleier pochiert und Kuvertüre
geschmolzen, also die ausgewähltesten Dinge zubereitet
hatte, ohne dass der Gast (C.) je eingetroffen wäre.

Ich weinte am Telefon: Was für eine Verschwendung usw.

—

Nachts drängen sich die Ziegen an meinem Bett, ihre weißen Leiber leuchten hell im Mondlicht, das durch die Fenster dringt.

—

Während ihrer langen Überfahrt von Frankreich nach Valparaíso legt die *Mexicain* wegen eines Lecks in der Bucht von Praia an: Das Land dieser Kapverdischen Insel, schreibt Flora Tristan in den *Pérégrinations d'une paria,* ist schwarz und trocken; Bananenstauden, Maulbeerfeigenbäume, großblättrige Gewächse, eine Kirche, das Haus des amerikanischen Konsuls.

Am Strand von Praia deutet Chabrié, der Kapitän, dem der Wert seiner Ladung gerade zwischen den Fingern zerrinnt, weil sein Schiff zu lange braucht für den Weg nach Peru, Tristan seine Liebe an, dann weint er.

Die Liebe, schreibt Tristan, sei für sie noch im Jahr der Überfahrt (1833) und seit dem Alter von vierzehn Jahren eine Religion gewesen: »Je considérais l'amour comme le *souffle de Dieu …*«

*J'avais aimé deux fois*, schreibt sie: einmal einen jungen Mann, der zu weichherzig gewesen sei, um sich gegen seinen Vater durchzusetzen; und einen zweiten, kühl rechnenden – »un de ces êtres froids, calculateurs«, denen große Leidenschaft als Wahnsinn erscheine.

Die Vergeblichkeit, mit der sie beide Male geliebt habe,

habe die Größe ihrer Liebe nicht geschmälert, aber sie habe danach nicht mehr damit gerechnet, von einem Mann verstanden zu werden, der nicht selbst zu jener großen Hingabe fähig sei, die gemeinhin als Verrücktheit empfunden werde, weil sie ganz ohne Eigennutz sei,

die Hingabe der Revolutionäre und Märtyrerinnen.

—

Mit »mystischem Erlöserdrang«, heißt es, habe sie, deren Leben ja bis ins Äußerste durch das Politische, ihr Engagement geprägt gewesen ist, in ihren letzten Jahren für ihre Idee der **UNION UNIVERSELLE des Ouvriers et Ouvrières** geworben.

Das »Engagement« im Wörterbuch als »Einsatz aus weltanschaulicher oder anderweitiger Verbundenheit«: Das Verlangen nach einer leidenschaftlichen, vielleicht exzessiven Verbundenheit mit der Welt,

in alles Leben gierig hineinzubeißen.

—

1839 in einem Brief aus London an eine Frau namens Olympe: »Sie sagen, Sie liebten mich und ich magnetisierte Sie, ja, ich versetzte Sie sogar in Ekstase.«

Selbst verspüre sie »brennenden Durst«, geliebt zu werden: »Doch ich bin so anspruchsvoll, so fordernd, so vielfräßig und feinschmeckerisch zugleich, daß alles, was

man mir entgegenbringt, mich kaum zufriedenstellt. Mein
Herz gleicht dem Gaumen des Engländers: es ist ein tiefer
Schlund, in dem alles, was hineingelangt, zerschellt,
zerbricht und verschwindet.«

—

Bereits bei der Ankunft in der Bucht von Praia ein kleiner
Schoner aus Sierra Leone (S. 27) als erster Hinweis auf die
eigentliche Bedeutung der Kapverdischen Insel.

*La traite:* Die Bewohner von Praia tauschen Sklaven und
Sklavinnen gegen Mehl, Wein, Öl, Reis, Zucker und andere
Dinge.

—

Das Zuckerrohr, an dem die verzückten europäischen
Kreuzritter zum ersten Mal in Jerusalem und in Akkon
saugen, wird von den Europäern auf die atlantischen Inseln
und über den Atlantik gebracht: nach Madeira, auf die
Azoren, in den Golf von Guinea, nach Brasilien etc.

Auch auf den Kapverdischen Inseln, wo die ersten Siedler
und Siedlerinnen noch von den Tieren leben, die die
Entdecker zurückgelassen haben, führt man das Zuckerrohr ein, um *aguardente* und Zucker herzustellen. Aber das
Land dieser Inseln ist zu trocken, man weicht stattdessen
auf den Handel mit Menschen aus, und es entwickelt sich
dort im 15. Jahrhundert die Plantagen-Gesellschaft, wie sie

in den folgenden Jahrhunderten dann in allen Gebieten der tropischen »Neuen Welt« zu finden ist. (Sidney M. Greenfield: »Plantations, Sugar Cane and Slavery«)

—

Der Sklavenhändler von Praia: Schon als Kind, erzählt er Tristan, hätten ihn seine Eltern fürs Priesteramt bestimmt, er habe das Seminar von La Passe in der Nähe von Bayonne besucht, wo er durch seinen religiösen Eifer aufgefallen sei, und als man 1819 in allen Priesterseminaren des Landes die Eifrigsten, die Hingebungsvollsten ausgewählt habe, um sie auf Mission zu den wilden Völkern, den Götzendienern zu schicken, sei die Wahl auch auf ihn gefallen, und also habe er sich an Bord eines Schiffes begeben.

Als er, Tappe, dann unterwegs erfahren habe, dass sich auf dieser kargen Insel – *sur cette terre de misère et d'aridité* – mit wenig Geld ein schnelles Vermögen machen lasse, habe er entschieden, hierzubleiben.

Während der Mahlzeit an Bord der *Mexicain*, die noch immer in der Bucht vor Anker liegt, isst der Seminarist so gierig, dass seine ganze Aufmerksamkeit seinem Glas und seinem Teller gilt. Seinen Gesichtszügen habe sie entnehmen können, so Tristan, dass seine größte Leidenschaft die Schlemmerei (*la gourmandise*) sei. Mit glänzenden Augen und geweiteten Nasenlöchern, Schweiß auf der Stirn, betrachtet er das Fleisch, das aufgetragen wird: Er scheint sich in jenem Zustand zu befinden, in dem »die Lust, die wir nicht zügeln können, aus all unseren Poren tritt«.

Er habe eine der Frauen, die er besitze, geheiratet, damit sie alles, was er esse, für ihn vorkoste.

—

Der junge amerikanische Konsul, *Vertreter einer Republik*, der in der unteren Halle seines Hauses auf einen blutüberströmten Mann einschlägt.

Der schwitzende Tappe.

Tristan, die Praia eine Woche lang nicht betritt wegen des Geruchs der Afrikaner, afrikanischen Kinder.

Zu Besuch an Bord des Schoners aus Sierra Leone: Der Italiener (Brandisco) serviert Rum, Kaffee und Kekse. Dann führt er den Gästen einen fünfzehn- oder sechzehnjährigen Jungen zum Kauf vor.

—

Im Fernsehen ein Film über die Frauen von Cabo Verde, die heute an den Stränden des Archipels den feinen, schwarzen Sand abbauen, um ihn dann an Bauunternehmer zu verkaufen.

Madame Adelaide: Sie seien wie die Sklaven von São Tomé und Príncipe, die damals in Ketten gelegen hätten.

—

In einer Passage, sage ich zu A., die den Besuch Tristans an Bord des italienischen Kapitäns betrifft, das Wort *cupidité*: das übermäßige Verlangen (nach Geld und Reichtümern).

Die Nähe des brennenden Dursts, der *grôzen leckerheit* zur Völlerei des Seminaristen: Ob nur die Möglichkeiten, die Gelegenheit und die Macht der Hungrigen darüber ent-scheiden, sage ich, ob ihr Verlangen formuliert und gestillt werden kann, ob es sich als zerstörerisches manifestiert oder, im Gegenteil, der Zerstörung entgegenwirkt, etwas repariert, das zuvor verheert wurde, einen Sprung mit Kitt ausfüllt.

—

Paul Gauguin, Tristans Enkel (II. SOUVENIRS DE JEUNESSE): Sie, Tristan, habe wahrscheinlich nicht kochen können – »Il est probable qu'elle ne sut pas faire la cuisine«.

Gauguins Gemälde *Die Mutter des Künstlers* (um 1893): Auf leuchtend gelbem Grund ein Porträt der jungen Aline Gauguin, Flora Tristans Tochter, als seltsames Spiegelbild seines früher entstandenen Tahiti-Bildes *Vahine no te tiare (Frau mit Blume).*

Der ehemalige Börsenmakler Gauguin und seine Modelle in der französischen Kolonie, seine Skulpturen, seine *Maison du Jouir (House of Pleasure)* auf der Insel Hiva Oa etc.

# Plaisir 3

Sommer 1802: Spät verlässt eine verschlossene Kutsche
die Hafenstadt Brest, sie rollt über dunkle Landstraßen
durch das Departement Finistère, passiert wahrscheinlich
Montauban, Rennes und Nantes, dann Angers, Chapelle-
Blanche. In Tours, wo nachts die Pferde gewechselt werden,
bemerkt man, dass einer der Passagiere trotz der Hitze drei
Jacken trägt.

Am 5. Fructidor (23. August) trifft das Gefährt in Pontarlier
ein, mit neuen Pferden legt es die letzte Wegstrecke zurück:
Auf einem jäh abfallenden Hügel im französischen Jura,
unweit der Grenze zur Schweiz, jene Burg, die Festung, die
der eine der zwei Männer in der Kutsche nicht mehr lebendig
verlassen wird.

Aus Pontarlier schreibt der Unterpräfekt: »Toussaint-Louverture est arrivé à Pontarlier ajourd' hui, à une heure et demie
après midi; il est accompagné d' un domestique.«

—

Im Bericht des Sohns, Isaac Louverture: Zwei Kutschen und
zwei Kompanien der Kavallerie hätten seinen Vater und
dessen *domestique* erwartet, als man sie von Bord der *Héros*

geholt habe. Louverture sei in die eine gestiegen, der Diener in die andere.

Nachts ist es ihnen verboten, in größeren Städten anzuhalten.

Als sie in Guingamp vorbeikommen, sind da einige Offiziere, die unter Louverture in Saint-Domingue gedient haben und darum bitten, die Kutsche möge anhalten, damit sie den Gefangenen, der transportiert wird, ihren früheren General, den Anführer der Haitianischen Revolution, grüßen können.

—

Gestern lange Zeit im fast dunklen Büro gesessen und das Ende des Regens abgewartet, irgendwann doch losgefahren, schon auf der Höhe des Stadions völlig durchnässt. Das Wasser läuft mir in Strömen über das Gesicht und in den Kragen.

Heute Morgen dann Nebelschwaden, die aus der jetzt tiefgrünen Flanke des Üetlibergs aufsteigen. Die ganze Stadt gesättigt mit Feuchtigkeit.

—

Seine Frau, seine Söhne und Nichten, die man mit ihm, Louverture, auf einem Schiff der französischen Marine (*Le Héros*) von Saint-Domingue nach Europa transportiert hat, sieht er in Brest zum letzten Mal: In die Gefangenschaft im Fort de Joux lässt man ihm nur seinen Diener Mars Plaisir folgen,

un domestique
le dévoué serviteur
le fidèle Plaisir son domestique

Als er die Zelle betritt – so Plaisirs Bericht an einen der
Söhne Louvertures –, glaubt er, unter Tag zu treten.

—

Am 6. Oktober eine Nachricht des Kommandanten des Fort
de Joux, Baille, an den Präfekten des Departements: Seit
zwölf Tagen bitte Louverture um eine Mütze wegen seiner
ständigen Kopfschmerzen, die von einer Verletzung durch
eine Schusswaffe herrührten etc.

Angefügt eine NOTA: Er habe vergessen zu sagen, dass
Toussaint Louverture allem, was er trinke, Zucker beifüge.
Seit der Gefangene seinen Zucker vor einiger Zeit auf-
gebraucht habe, habe er, Baille, ihm von seinem eigenen
gegeben. Nun, da er diesen Morgen erneut nach Zucker
gefragt usw., bitte er um Anweisungen in dieser Sache.

—

Zu diesem Zeitpunkt ist Mars Plaisir bereits sang- und
klanglos aus dem Fort de Joux und aus der Literatur ver-
schwunden: Er habe die Burg am 20. Fructidor (7. September)
wieder verlassen müssen. An anderer Stelle: Man habe ihn
nach drei Monaten von Louverture getrennt.

Sein weiterer Verbleib eine Fußnote (77) in Nemours'
*Histoire de la captivité et de la mort de Toussaint-Louverture*:
Er sei in Nantes inhaftiert gewesen, dann habe er nach
Haiti zurückkehren können und sei dort in Port-au-Prince
gestorben.

—

Baille am 9. Oktober 1802: Louverture habe seine Bitte
nach Zucker erneuert, und er, Baille, habe ihm gesagt, der
Zucker, den er ihm in den letzten fünfzehn Tagen gegeben
habe, sei sein eigener gewesen und er werde ihm auch in
den nächsten Tagen noch davon geben, aber wenn der
Citoyen Préfet ihm bis dahin keine Order gebe, ihm Zucker
zu verabreichen, könne er, Baille, ihn nicht länger auf seine
Kosten offerieren, da er dafür überhaupt nicht vermögend
genug sei.

Genau genommen fragt Louverture nach einem Zuckerstock
(*il me renouvelle la demande d'un pain de sucre*).

—

Préfet Jean de Bry an Citoyen Battandier: Er habe von
Citoyen Baille zwei Aufstellungen über die Ausgaben
zuhanden des Gefangenen Louverture erhalten und Unregel-
mäßigkeiten festgestellt,
u. a. bei den Aufwendungen für Zucker in der Höhe von
12 f. und 12 f. 7 s., total also 24 f. 7 s.,
was zweifellos nicht richtig sein könne, denn, schreibt er,

eine Konsumation in dieser Höhe innerhalb eines Monats
wäre *exorbitant.*

—

Geggus, S. 266:
    Die Haut-du-Cap-Plantage, auf der Toussaint Louverture
geboren wird, produziert wegen der dünnen und steinigen
Erde des Gebiets auch in einem guten Jahr nicht viel mehr als
100 000 lbs Zucker.

—

Als ich jetzt zum hundertsten Mal zurückkehre an jene
Stelle, jenen Ort, an dem ich alles zusammentrage, meinen
Sammelplatz, sehe ich als Erstes den haitianischen Arbeiter,
der im Schatten einer Eibe schläft, die in Form eines
Zuckerstocks geschnitten ist, dann Adam Smith mit der
Zuckerschale aus dem Haus seiner Cousine, überhaupt
Inseln u. Berge aus Zucker, ich sehe Mars Plaisir als
Skulptur, deren Gesicht verstellt ist durch andere Dinge:
    den Bahnhof Versailles-Chantiers,
    Wakefields Kutsche,
    die »Harmony of the Seas« der Royal Caribbean Cruise
Line.

—

Im August 1779, zwölf Jahre vor der Haitianischen Revolution, pachtet Louverture, der selbst seit einigen Jahren kein Sklave mehr ist, von seinem Schwiegersohn Philippe Jasmin Désir eine Kaffeeplantage, einen Mann, vier Frauen und deren acht Kinder. Eines davon, das teuerste (Jean-Jacques), wird viel später als Jean-Jacques Dessalines bekannt,

jener General Dessalines, der in Kleists *Verlobung* gerade mit Tausenden auf Port-au-Prince zurückt, als der Schweizer nachts an die hintere Tür von Congo Hoangos Haus klopft.

Er müsse Port-au-Prince erreichen, sagt der Schweizer, der auf der Seite der Franzosen kämpft, »bevor es dem General Dessalines noch gelungen ist, es mit den Truppen, die er anführt, einzuschließen und zu belagern«.

Dessalines, der sich zum Kaiser von Haiti erklärt (1804).

—

Kleist übrigens, sage ich zu A. am Telefon, wird im Januar 1807 auf dem Weg von Königsberg nach Berlin als vermeintlicher Spion verhaftet: »Die Reise geht, wie ich Dir schon gesagt habe«, schreibt er an Ulrike von Kleist, »nach Joux, einem Schloß bei Pontarlier, auf der Straße von Neufchâtel nach Paris.«

Brief an Ulrike vom 23.4.1807:
Am 5. März seien sie im Fort de Joux angekommen. »Nichts kann öder sein, als der Anblick dieses, auf einem nackten Felsen liegenden, Schlosses [...]. Wir mußten aus-

steigen, und zu Fuße hinauf gehn; das Wetter war entsetzlich, und der Sturm drohte uns, auf diesem schmalen, eisbedeckten Wege, in den Abgrund hinunter zu wehen.«

Kleists Mitgefangenen, Gauvain, habe man in jenen Raum gesperrt, »in welchem Toussaint Louverture gestorben war«.

—

Kleist, der in einem Brief an Wilhelmine von Zenge am 10. Oktober 1801 auf grünem Postpapier schreibt, die persischen Magier hätten das Gesetz gekannt, »ein Mensch könne nichts der Gottheit Wohlgefälligeres thun, als dieses, ein Feld zu bebauen, einen Baum zu pflanzen, u. ein Kind zu zeugen«, und also beschließt, in die Schweiz zu ziehen, um Bauer zu werden.

Im Frühling 1802 bezieht er ein Haus auf der Aareinsel in Thun, »recht eingeschlossen von Alpen, ¼ Meile von der Stadt«: ein Idyll mit Blumen und Mädchen.

Und das Schiff (*Le Héros*) mit Toussaint Louverture an Bord gewinnt unterdessen das offene Meer, bringt den Gefangenen über den Atlantik nach Frankreich.

—

Unter den 635 Schweizern, die am 4. Februar 1803 auf dem französischen Kriegsschiff *Le Redoutable* von Ajaccio auf den Weg nach Port-au-Prince geschickt werden, um an der Seite

der Franzosen gegen die Aufständischen zu kämpfen, auch
ein Cousin des Vermieters des Thuner Inselhauses:

Maximilian Gatschet, 21-jährig u. *mort à St Domingue* –

wie überhaupt der große Teil des 1. Bataillons der
3. helvetischen Halbbrigade.

Sie seien aber nicht freiwillig gegangen; man habe noch versucht, die »Verwendung von Schweizern auf dem Meere« zu
verhindern.

—

An einer Stelle bei Girard (»The Slaves Who Defeated
Napoleon«): Nach dem Tod Louvertures am 7. April 1803 in
der Zelle des Fort de Joux habe man seine wenigen Sachen
versteigert: »auctioned off«.

Im Licht dieser ersten Versteigerung, der Versteigerung der
Dinge jenes Mannes, der selbst einmal zum Eigentum eines
Europäers gezählt, auf den Plantagen gelebt, später auf mit
Seide geschmückten Thronen Platz genommen und sich in
der Verfassung von 1801 *für den Rest seines glorreichen Lebens*
zum Gouverneur erklärt hat, schließlich im französischen
Gefängnis um Zucker bitten muss,
    im Licht also dieser ersten (so sie denn stattgefunden hat)
wieder die andere, die zweite Versteigerung, das Spektakel in
Spiez, bei dem die Dinge des einst zum Lottokönig gekrönten
Klempners (WB) verscherbelt werden:

ein Karabiner,

Sofamöbel,

zwei Figuren, von denen es heißt, sie stammten aus Haiti.

Als wären sie beide, WB & Louverture, durch ein Portal, eine Öffnung getreten und hätten sich auf einmal von den Bedingungen, die sie bis anhin bestimmt hatten, befreit gefunden, nur um dann kurze Zeit später festzustellen, dass der *Fehler* gleich bemerkt und ihnen postwendend in Rechnung gestellt worden war.

WB: *Wofür wurde ich bestraft? Ich hatte nie zu grosse Schuhe an.*

—

Ob man mir bis hierher noch folgen oder dies alles als Protokoll eines Wahns, als Material für eine Fallstudie lesen wird, sage ich zu A.: »Patientin träumt, dass sie nachts von Ziegen heimgesucht wird.«

# Spiez

Werner Brunis Lebenserinnerungen vorangestellt die
*Arbeiterweisheit*:
»Arbeite weiter und gediegen. / Wers nicht fertigbringt,
bleibt liegen.«

MY SKILLS NEVER END,
sozusagen.

—

WB, Jahrgang 1936, Arbeiter.

Der Vater Maurer-Vorarbeiter, Schütze, Trinker: Das
Krüppeln habe ihn in die Krise gebracht.
Die Mutter ist angestellt in der Milchsiederei, geht
waschen und putzen, um zusätzliches Geld zu beschaffen,
kann sich aber öfters nicht unter Leuten zeigen, nachdem
der Mann betrunken nach Hause gekommen und tätlich
geworden ist, weil z. B. das Essen nicht sofort bereit war.

Sieben Kinder.

—

Flora Tristan, **Le POURQUOI je mentionne les Femmes**
(UNION OUVRIÈRE, S. 57 ff.):

Als sie sich 1827 in Bordeaux aufgehalten habe, sei es
geschehen, dass der Mann einer Gemüsehändlerin abends
nach Hause gekommen und die Suppe nicht bereit gewesen
sei. Darüber seien sie in Streit geraten, und als der Mann
handgreiflich geworden sei und ihr eine Ohrfeige gegeben
habe, habe sie, die gerade mit einem großen Küchenmesser
das Brot schnitt, sich rasend vor Wut auf ihren Mann gestürzt,
ihm das Herz mit dem Messer durchstochen und ihn getötet.

Die Trauer der Frau über den Tod ihres Mannes sei
immens gewesen, und da sie ihre Tat nicht vorsätzlich
begangen, außerdem ein vier Monate altes Kind zu stillen
gehabt habe, habe der Untersuchungsrichter entschieden,
sie aus dem Gefängnis zu entlassen. Gegen diese Entlassung
habe die Gemüsehändlerin selbst aufs Heftigste protestiert:
Wie könne man ein so gefährliches Wesen, wie sie es sei, frei-
lassen, habe die siebenfache Mutter geschrien, und als man
sie trotzdem nach Hause geschickt habe, habe sie erklärt, sie
werde in diesem Fall selbst für Gerechtigkeit sorgen und sich
verhungern lassen.

Weder ihrer eigenen Mutter noch ihren Kindern, weder
den Richtern und Priestern noch den Marktfrauen sei es
gelungen, sie von ihrem Vorhaben abzubringen. Also habe
man es auf anderem Weg versucht: Man habe ihr Kuchen
und Früchte, Milchspeisen, Wein und Fleisch aufs Zimmer
gebracht, man habe sogar Geflügel gebraten, das man ihr
ganz heiß serviert habe, damit der Geruch ihren Appetit
anregen würde. Aber die Gemüsehändlerin sei nicht
umzustimmen gewesen: Eine Frau, die imstande sei, einen

siebenfachen Vater zu töten, müsse sterben; sie habe große Qualen gelitten und sei am siebten Tag gestorben.

—

Abends und samstags, heißt es im Buch über den Lottokönig, fährt der Arbeitersohn WB in den Vierzigerjahren als Ausläufer für den Metzger Däppen, später für einen Bäcker. Dort gibt es »die Fünfzehner-Weggli, die kleinen, und die Dreissiger-Weggli, die grossen. Ich dachte, die hat er nicht gezählt. Es waren zahllos viele für mich.«

Dem Metzger Däppen stiehlt er eine Wurst, vom Bäcker isst er eines seiner Brötchen, weil er hungrig ist. Wird geschlagen, kehrt nicht mehr zurück.

Später, mit sechzehn Jahren, ins Welschland: Soll »fremdes Brot essen lernen«. Arbeitet bei einem Bäcker am Neuenburgersee, später in einer Bäckerei an der Rue du Four in Yverdon. Kümmert sich um das Holz für die Öfen, liefert Brot in die Wirtschaften.

In dieser Zeit verschwindet der Vater; man findet ihn fünf Wochen später in der winterlichen Aare, identifiziert ihn an der Gravur seines Taschenmessers.

—

– In den Berichten meiner Mutter hieß es ja auch immer, sie, die Schwestern, hätten das Fleisch ausliefern müssen, mit einem Mofa, wenn ich mich richtig erinnere, und hinten auf dem Gepäckträger den Korb voller Würste, auch im Winter, oder der Vater sei mit ihnen im Auto die steilen Straßen hochgefahren und habe sie dann mit dem Korb die letzten hundert Meter zu Fuß durch den Schnee geschickt.

—

Später: WB als Handlanger bei einem Sanitärinstallateur, als Rekrut, in Hemd und Krawatte neben einem Buick 1 Cabriolet, das ihm nicht gehört. Er geht aus, fährt in die Tanzlokale, zum Tanzsonntag, wird gekündigt.

Dann stellt ihn der Unternehmer Hauenstein in seiner Heizungs- und Sanitärfirma ein (1. Februar 1960). WB trägt Sauerstoffflaschen über zehn, zwölf Etagen, gusseiserne Radiatoren, Gasentwickler, Röhren, Verteilbatterien, schweißt Anschlüsse ein, installiert Toiletten und Lavabos in Einfamilienhäusern, in Wohnblöcken, im Holiday Inn, in der umgebauten »Seerose« in Faulensee usw.

—

»Wie der Herr Graf während des Sprechens sein Feinbrot langsam in der Hand zerdrückt hat« (Ellen West), diese achtlose Geste wäre mit ziemlicher Sicherheit auch ihm, Bruni, aufgefallen.

—

Hauenstein, der Chef: Ebenfalls Kind einer Arbeiterfamilie. Später Kaufmann, Immobilienhändler, Multimillionär.

Müller: »Hatten Sie als Kind das Gefühl, Sie könnten mit Geldverdienen die Liebe, die Ihnen fehlte, kompensieren?« – Wenn man den Vater betrachte, der eine brutal dominierende Person gewesen sei, dann ja. Die einzigen Male, die er ihn lachen gesehen habe: wenn er, Hauenstein, Geld verdient habe und sein Vater etwas davon gehabt habe.

In Müllers Film »Der König und sein Chef«: Dass Hauensteins Aufstieg seinen Anfang nimmt mit einem kleinen *Kolonialwarenladen*, den er in Steffisburg führt, dass er mit diesem Geschäft den Grundstein legt für seine erfolgreiche Laufbahn, dass es also die sogenannten Kolonialwaren sind, die ihm zum nötigen Kapital verhelfen bzw. sein erstes Kapital darstellen und folglich den Unterschied machen zwischen ihm und, zum Beispiel, WB.

—

In einem späteren Film Müllers zwei goldene Äpfel und eine goldene Birne auf einem Tisch in Hauensteins direkt am See gelegenen Haus.

—

WBs stoische Aufrichtigkeit: Trotzdem, wie er weiß, alle Welt korrupt und nur auf den eigenen Vorteil bedacht ist, hält er seinerseits fest an seiner Ehrlichkeit als Arbeiter:

Will nicht mehr und nicht weniger Lohn, als ihm zusteht
für die Arbeit, die er verrichtet. Will nichts geschenkt
bekommen. Niemandem etwas schuldig sein. Stets beste
Arbeit leisten.

Als könnte er das Exempel sein, an dem die Welt
gesundet, gibt er sich bereitwillig her und kehrt immer
wieder zurück auf die Baustelle, auch als ihm eine
Kranladung Stahlröhren den Kopf zertrümmert, auch
als er einmal 48 Stunden durcharbeitet und sein Herz
am dritten Tag für kurze Zeit den Geist aufgibt, auch als
er bei der Arbeit in einem Stollen meterweit in die Tiefe
stürzt.

—

Bei der Abzweigung von der Albisrieder- in die Aemtler-
straße fast von einem roten Oldtimer überrollt, schau an,
ein Buick 1 Cabriolet, denke ich, als ich den Wagen direkt
auf mich zusteuern sehe, aber es ist irgendein Citroën mit
geöffnetem Dach, und wir gleiten gerade noch so aneinander
vorbei und weiter durch den warmen Sommerabend.

—

Und weißt du noch, schreibe ich an C., wie ich eigens für dich
zur Erntezeit einmal mit den Zapfenpflückern in die Bäume
hochstieg, um an die kostbaren Pinienkerne zu gelangen.
Ich schwitzte wie verrückt. Wie du dann höflich ablehntest:
*I would prefer not to.*

Später die Kerne selbst gegessen:
  Sie schmeckten vorzüglich,
    wie klein und weich sie waren.

—

Abends durch die Stadt. Überall stehen die Leute vor den
Häusern, noch um drei, noch um vier Uhr morgens. Sagen,
es sei eine Tropennacht.

Irgendwann dann nur noch die Lichter gesehen, mich an den
hellen Stellen orientiert: der leuchtende Bancomat am Fuß
des Prime Tower, die leeren Büroetagen, orange Straßenlaternen auf der Brücke.

Zuletzt die Stirn auf die Schulter eines Ökonomen gelegt.

Er liebe Umberto Eco, sagte er.
  Arbeite für eine Bank.

Sein Mund schmeckte süß, Zucker überall, zuckriger Ge-
schmack auf den Lippen, der Zunge, seinen ordentlichen,
schönen Zähnen.

Weil, sagte er, hier: Ein Bonbon in seinem Mund. Gleich
die Erinnerung an die Dose auf dem Schuhschrank im
Flur der Wohnung meiner Großeltern väterlicherseits, ein
Gefäß aus glasiertem Ton mit Deckel, in dem sie Bonbons
aufbewahrten, die sie hüteten, als handelte es sich um Gold-
stücke.

Sie nannten sie nicht »Bonbons«, sondern »Zückerchen«.

Wir umkreisten die Dose, so wie wir übrigens auch den Fernseher umkreisten, wenn wir zu Besuch waren, wir konnten gar nicht davon lassen.

Adam Smith am Bahnhof Hardbrücke verabschiedet, nach Hause gelaufen.

Um 7 Uhr im Park auf einer Bank gelegen und mit brennenden Augen (den Augen des Spielers oder der Nonne) hinauf in den immer heller werdenden Himmel geschaut.

—

Ein Bild aus der Schweizer Illustrierten: WB als König mit samtenem Umhang und schwerer Krone, den Blick in die Höhe gerichtet, als folgten seine Augen der Bahn eines Flugkörpers, als empfinge er eine allein an ihn gerichtete prophetische Botschaft.

—

Freud: Süßigkeiten und Bonbons stünden in Träumen oft für *Liebkosungen* und *sexuelle Befriedigungen*. (Aus der Geschichte einer infantilen Neurose, IX. Kapitel)

—

Judith ist zurück aus Frankreich, gehört in ihrem wallenden Kleid noch ganz dem Sommer an, legt »Madame Bovary« auf den Tisch: Wie sich das Dienstmädchen der Emma Bovary Abend für Abend zu einem *Häufchen Zucker* aus dem Küchenschrank helfe und ihn dann alleine esse, im Bett, nachdem sie gebetet habe.

Währenddessen schräg hinter Judith eine Frau über ihrem Kaffee, die so dünn ist, so mager, dass aus ihrem Gesicht alles Lebendige schon fortgegangen zu sein scheint. Die Züge einer Toten. Aber ganz schön und sorgfältig gekleidet ist sie, als wären es die Kleider, die sie noch daran hinderten zu gehen, alles fahren zu lassen.

—

Jedenfalls bestimmen die Kugeln am Abend des 28. April 1979 WB zum Gewinner von 1 696 335,90 Schweizer Franken. Er sitzt vor dem Fernseher und notiert sich die Zahlen. Den Nachmittag hat er jassend im »Bären« verbracht.

Danach, am späteren Abend, so heißt es in Brunis Lebenserinnerungen, seien er, seine Frau und eine dritte Person noch um den Stausee in Spiez spaziert und hätten zuletzt im »Bären« etwas getrunken.

Wie sich ihnen wohl die Landschaft darstellt an diesem Abend: Alles ganz neu, stelle ich mir vor, plötzlich neu und leicht; die Umrisse der Berge, die Umrisse der Bäume in der Dämmerung, die unbewegte, schon ganz dunkle Oberfläche des Stausees.

Und woran sie wohl denken: Er (WB) habe sich immer
nur gewünscht, sich mit seinem von der Arbeit angegriffenen
Körper etwas früher pensionieren zu lassen. Ein paar Reisen
zu machen, ein kleines Haus mit Garten zu bewohnen.

Drei Tage später wird der neue König, der bisher weislich den
Mund gehalten, einzig seinem Chef eine Nachricht auf dem
Beantworter hinterlassen hat, in Hauensteins Büro bestellt
(das Büro: im obersten Stock der kürzlich erstandenen
Skifabrik »Rebell«). Dort wird er erwartet von Fotografen:
Angeblich hat der Chef die Presse über WBs Glücksfall
informiert.

—

Am 3. Mai 1979 die Schlagzeile: »BLICK fand den Lotto-
Millionär – ein Arbeiter!«

Am Tag zuvor hatte die Zeitung noch den Seher Alfredo
Gisler und die Hellseherin Claudhilde Näpflin aus Buix kon-
taktiert, um die Identität des Gewinners oder der Gewinnerin
festzustellen.

—

WB: »Ich war ein gewöhnlicher Arbeiter und bin dann auch
ein gewöhnlicher Arbeiter geblieben. Dass mir trotzdem
nichts geblieben ist – gar nichts, nur mein Arbeiterdasein –,
das habe ich mir allerdings nicht vorgestellt.«

Wie die dreihundert Arbeiter und Arbeiterinnen, die
Herr Peel (nach Marx) an den Swan River in Neuholland
mitbringt, das Weite suchen, wie sie davongehen, um sich
selbstständig zu machen in diesem scheinbar leeren, vielver-
sprechenden Land: Eine Prozession, die verhindert werden
muss, weil sie bedeutet, dass der gewöhnliche Arbeiter kein
gewöhnlicher Arbeiter bleiben wird und dass die Güter, die
Werkzeuge und Maschinen des Herrn Peel unter einem Zelt
verrotten werden.

So ähnlich wie dieser Auszug, dieses Entwischen der drei-
hundert vielleicht auch der Aufstieg des Sanitärinstallateurs:
Durch eine zufällige Lücke im Zaun tritt er hinaus in neue
Verhältnisse.

—

Eine alte »Spiegel«-Reportage (»Hier ist Totentanz«) über
»Lotto-Lothar« Kuzydlowski. Der arbeitslose Lkw-Fahrer
und Teppichleger aus Hannover, der 1994 3,9 Millionen Mark
gewinnt, ist, so heißt es im »Spiegel«, »seinem Verlierer-
Schicksal entkommen, ohne daß er sich groß angestrengt,
nachgedacht oder gar in Bewegung gesetzt hätte. ›Lotto-
Lothar‹ hatte überhaupt nichts getan. Er hatte nur Glück
gehabt.«

Kauft sich dann laut »Spiegel« einen Lamborghini und fährt
allein 1996 acht Mal in den Urlaub und dann noch einmal,
vor Weihnachten, nach Jamaika.

1995 ein Interview mit dem FOCUS:

FOCUS: *Haben Sie schon mal daran gedacht auszuwandern?*

**Lothar K.:** *Nein, warum? Ich verreise oft, aber andere Länder interessieren mich nicht so sehr. Ich such nur nach Sonne und Strand. Nach zwei Wochen geht es dann wieder nach Hause. Wir wollen hier bleiben und ganz normal leben.*

FOCUS: *Aber Sie sind mit einem Schlag Millionär geworden, das ist nicht ganz normal.*

**Andrea K.:** *Ich sag immer, wer reich geboren ist und dann bei uns landet, der hat es wesentlich schwieriger, als wenn wir einfachen Leute auf einmal so etwas gewinnen. Wir bleiben so, wie wir waren.*

—

Die Verwaltung seines Gewinns, so ist es überall nachzulesen, übernimmt Hauenstein, der Chef des frisch Gekrönten, der übrigens laut WB ein *superguter* Chef ist und ganz augenscheinlich auch etwas versteht vom Umgang mit dem Kapital: Er baut Wohnblöcke, Hochhäuser, Tausende von Wohnungen, investiert in Firmen, besitzt eine Restaurant- und Hotelkette, fährt außerdem einen Ferrari.

Für das Konto WBs hat er eine Vollmacht, und er verkauft ihm einen sogenannten »Zwölfer«, ein Zwölffamilienhaus, in dem er, der König, selbst noch die Leitungen installiert hat. Außerdem eine Maisonettewohnung: Ein Millionär könne nicht länger im Arbeiterquartier wohnen.

Nach Abzug der Steuern bleiben WB von seinem Gewinn drei Viertel einer Million. Für den Zwölfer nimmt er von der Bank Hypotheken von 1,25 Millionen auf.

Was er sonst noch kauft: Sachen für seine Frau, darunter zwei Solarien. Eine Fotoausrüstung, eine Mikrowelle, einen Honda Accord.

—

Als der Niedergang sich schon aus der Ferne ankündigt und der Zwölfer, der immer leerer geworden ist, bereits wieder verkauft ist:
    Die karibische Reise.

Er hebt sie selbst hervor, sage ich zu A. am Telefon, man könnte sagen, sie figuriere in seiner eigenen Erzählung als *die glückliche Zeit*.

—

*Kurz vor halb neun, als die Maschine der Air France den Flughafen verlässt, rasch an Höhe gewinnt und schließlich den wetterlosen Bereich der Atmosphäre erreicht, schießt das*

*Licht so plötzlich in die Kabine, dass ihr Sitznachbar, ein Mann von vielleicht fünfundfünfzig Jahren, seine Augen mit einem leisen Aufschrei bedeckt. Jedes Mal dieses Licht, sagt er entschuldigend, dieses stabile Blau hier oben: Er könne sich nicht daran gewöhnen. Als wären, fährt er leise lachend fort, als wären die elementarsten Erkenntnisse über das System, das Sonnensystem, in dem sie sich aufhielten, auch nach soundso vielen Jahrhunderten noch immer nicht zu ihm durchgedrungen. Wie er vor wenigen Stunden noch zugeschaut habe, wie die Flughafenmitarbeiter im Regen auf dem Rollfeld von Milano-Malpensa mit ihren Leuchtstäben den Fahrzeugen den Weg gewiesen haben, habe er sich natürlich vorstellen können, dass zur gleichen Zeit an anderer Stelle ganz anderes Wetter herrsche, es wäre ihm aber niemals eingefallen, dass man nur die dünne Wolkendecke zu durchstoßen brauche, um in diesen Bereich des endlosen, hellen Blaus vorzudringen.*

*Erwartungsvoll ruhen die blassen Augen des Mannes einen Moment lang auf ihr, dann wendet er sich abrupt wieder ab und presst den Kopf in das kleine, an der Rücklehne des Sitzes befestigte Kissen. Was lesen Sie, fragt er mit einer brüsken Handbewegung in Richtung der Blätter, die vor ihr auf dem heruntergeklappten Tischchen liegen. Seine nervöse Reaktion auf die Sonne, seine Lichtempfindlichkeit haben sie nicht vorbereitet auf den bestimmten, fast kommandierenden Tonfall, mit dem er die Frage an sie richtet. Mit geschlossenen Augen sitzt er da und atmet hörbar ein und aus; auf ihre Frage, ob er sich unwohl fühle, schüttelt er den Kopf auf eine Weise, die alles Mögliche bedeuten kann.*

*Sie bemerkt, dass niemand spricht auf diesem Flug: Die Passagiere haben sich ihre Pullover, ihre aufblasbaren Nackenhörnchen um die Schultern gelegt und sind wenige Minuten nach dem Abflug wieder eingeschlafen, in ihren Händen, die sich nun langsam entspannen und öffnen, noch ihre Brillen, die In-flight-Magazine, Tablets auf Standby.*

*Sie müssen die Frage nicht beantworten, sagt ihr Nachbar nun leise, fast flüsternd, als litte er unter großen und unberechenbaren Schmerzen, entschuldigen Sie die Indiskretion. Ohne die Augen zu öffnen, greift er in die kleine Reisetasche zu seinen Füßen, zieht eine zerfledderte Ausgabe der* Madame Bovary *heraus und legt sie sich in den Schoß, als wäre das Ende dieses Zustands, der ihn so plötzlich überkommen zu haben scheint, absehbar; als bereitete er sich vor auf eine spätere Zeit, die der Lektüre gewidmet sein wird, obwohl der Flug sich schon seinem Ende nähert.*

*Sie ist unterwegs zu einer Konferenz an der französischen Atlantikküste, einer viertägigen Versammlung von Schriftstellern und Schriftstellerinnen aus der Europäischen Union, einigen Balkanländern, Algerien, Kuba und Brasilien, und während sie längst sicher ist, dass es sich auch bei ihrem Sitznachbarn um einen der Gäste handelt, weiß sie, dass die Wahrscheinlichkeit, dass er seinerseits auf den Gedanken kommen wird, dass auch sie dorthin reist, klein ist: Man vermutet in ihr keine Schriftstellerin, es fehlen ihr die Eleganz, das entrückte Wesen der Lyrikerin, die flackernden Augen der Künstlerin, die kühle Autorität, die Eloquenz und das Alter der Intellektuellen. Sie nimmt es ihrem Nachbarn, überhaupt* den älteren Männern, denen sie in diesen Zusammenhängen, den literarischen Kreisen, in der Hauptsache begegnet, nicht übel; meist glaubt sie ihren ungläubigen Ausrufen, der Überraschung, die sie äußern, wenn sie oder andere Frauen ihres Alters ihnen als Gesprächspartnerin, als Kollegin vorgestellt werden: »Wie jung Sie sind!« So, wie sie die Krümel manchmal nicht bemerken, die bei den gemeinsamen Mahlzeiten, den Stehempfängen an ihren Lippen hängen bleiben, so scheinen ihnen auch andere Dinge in ihrer Umgebung leichter zu entgehen, und sie weiß, dass sich die allermeisten von ihnen, sobald man sie darauf aufmerksam macht, so dankbar wie verlegen über den Mund streichen.

Am Flughafen von Nantes wartet ein Chauffeur mit einem Schild, auf dem ihre beiden Namen stehen. Über dem Parkplatz Möwen; der Schriftsteller steht schlotternd im noch dünnen Licht.

Es sei ihm selbst ganz unverständlich, sagt er, als sie im Taxi über die Felder auf den Ozean zufahren, warum er die Einladung hierher angenommen habe, wisse er doch aus Erfahrung, dass diese Treffen und Konferenzen seine gewöhnliche Funktionsweise außer Kraft setzten, dass sein ganzes, einigermaßen fein kalibriertes Dasein innert kürzester Zeit in Unordnung gerate und er beispielsweise von einem Moment auf den anderen die Fähigkeit verliere, sich für die Städte, diese Orte, die doch der eigentliche Grund für seine Teilnahme an diesen Veranstaltungen seien, zu interessieren, stattdessen in einer Art Kältestarre auf seinem Hotelzimmer liege und stundenlang fernsehe oder sich mit zunehmendem

Widerwillen in den jeweiligen Spiegeln betrachte, die meist auf der Innenseite der Schranktüren, manchmal aber auch neben den Schreibtischen, die er im Übrigen nie benutze, angebracht seien. Schon immer habe er während dieser Reisen nur gerade so viel Energie aufgebracht, wie nötig gewesen sei, um den Schein zu wahren, während er innerlich zerfallen sei, er sei zum Frühstück erschienen, ordentlich gekleidet, und habe beim Kaffee Gespräche über die zeitgenössische Literatur, die Misere des Feuilletons oder gemeinsame Bekannte in Berlin geführt, sei dann zurück auf sein Zimmer gegangen, habe sich ausgezogen und hingelegt und geschlafen oder ferngesehen und Kekse gegessen, bis er sich für seinen nächsten Auftritt oder die nächste in der Gruppe eingenommene Mahlzeit wieder angekleidet und das Zimmer verlassen habe.

Seit einer Weile, antwortet sie auf seine Frage, was sie mache, womit sie sich beschäftige, seit einer Weile behaupte sie Freunden gegenüber, sie arbeite an einem Buch über die Liebe, und in der Regel reagierten die Freunde lachend darauf, als hätte sie einen guten Witz gemacht, und auch sie selbst lache, wenn sie davon spreche. Sie habe sich bisher von diesen Dingen, der Liebe, dem Gefühl, dem Sex, ferngehalten, und diese Entscheidung habe ihr auf gewisse Weise zum Vorteil gereicht: Oft habe sie Lob dafür erhalten, dass das Spektrum ihrer sogenannten Themen sich nicht beschränke auf jene, die Frauen angeblich in der Mehrzahl bearbeiteten, sondern auch das Historisch-Politische oder Fragen und ein Vokabular der Technik mit einschließe. Als zeichnete sich ihre Arbeit vor allem dadurch aus, dass sie die Kennzeichen einer als männlich ver-standenen Literatur trage, obwohl sie aus der Hand einer Frau *stamme – weil sie also, sagt sie lachend, trotz ihres Geschlechts zur Vernunft gekommen sei, der Larmoyanz der Frauen eine Absage erteilt und die Seite gewechselt habe. Der Schriftsteller lehnt sich vor, um zwischen den Vordersitzen hindurch die vor ihnen liegende Landschaft zu betrachten.*

*Als er am Abend desselben Tages spät noch das Foyer des Tagungsgebäudes betritt, unterhält sie sich schon seit längerer Zeit mit einem österreichischen Übersetzer: Ausführlich erzählt er von einer Reise durch das geteilte Deutschland, die er als knapp zwanzigjähriger Student mit einem Freund unternommen habe, der später dann zu einem Dichter mit einigem Renommee geworden sei, dessen Laufbahn aber unglücklicherweise ein abruptes Ende genommen habe, als sein Verleger sein verhältnismäßig bescheidenes Vermögen im Laufe einer einzigen Nacht in einem Spielcasino hier, an der französischen Atlantikküste, im Casino von Quiberon, verspielt und der Verlag von einem Tag auf den nächsten zu existieren aufgehört habe.*

*Auf gläsernen Tellern werden pazifische Austern herein-getragen, silbern schimmernde, scharfkantige Muscheln. Der deutsche Kulturattaché klatscht erfreut in die Hände.*

*Als der Übersetzer sich entschuldigt, verbleibt sie alleine an ihrem Stehtisch, und während die Stimmen der Anwesenden an ihr hochschlagen, als wäre sie ein Stock, ein Rohr, das jemand vor der Küste in den sandigen Grund des Atlantiks geschlagen hat, öffnet sie die Schalen der Muscheln, träufelt den Saft der Zitrone auf das Fleisch, das sie dann von der Schale*

*löst und mit leicht zurückgeneigtem Kopf in den Mund gleiten
lässt.*

*Folgendes, sagt ihr Nachbar aus dem Flugzeug, als er neben
sie tritt: Wenn man sich überlege, dass die Frauen zu allen
möglichen Zeiten Romane gelesen hätten, Romane, die vor
allem von der Liebe handelten: von der Rettung durch den
Liebenden, den Liebhaber, von der Entführung in der Kutsche,
von den Prinzen, die auf eleganten Pferden angeritten kämen,
um die Frauen zu holen. Und wenn man außerdem bedenke,
dass diese Lektüre stets abfällig bewertet worden sei, weil sie
die Leserinnen verführe und zerstreue, weil sie sie eitel mache
und ihren Realitätssinn beeinträchtige, dann, sagt er, dann
könne man zwar zum Schluss kommen, es handle sich um eine
über die Jahrhunderte und bis in die Gegenwart gepflegte Form
des Eskapismus – einen Rückzug in das, wenn auch nur vor-
gestellte, private Vergnügen. Genauso gut, fährt er fort, könnte
man diese Praxis der Lektüre aber vielleicht so verstehen, dass
da von einer Generation zur nächsten etwas Wichtiges über-
liefert worden sei: ein Potenzial, die Utopie der Überwindung
gewisser Gräben oder zumindest die Weigerung, dieselben
anzuerkennen.*

*Aber gut,* yada yada, *sagt er nach einer kurzen Pause.*

*Als sie später durch eine kleine Glastür auf den Balkon des
Gebäudes tritt, müde schon, sieht sie dort den Schriftsteller
neben einer Frau stehen, die erklärt, es sei doch nicht zu über-
sehen, dass es das Kapital sei, das ein Interesse daran habe,
die von ihm Ausgebeuteten gegeneinander antreten zu lassen,*

sie zu spalten und um ihren Platz in dieser ihnen aufoktroy-
ierten Ordnung konkurrenzieren zu lassen. Der Schriftsteller
hebt die Hand zum Gruß, als er sie sieht, die junge Frau aus
dem Flugzeug, und bedeutet ihr, näher zu treten, während er
zugleich den Ausführungen der Frau neben ihm folgt, nickend.
Ja, ja, sagt er, bestimmt habe sie recht, und in einem gewissen
Sinne hätten sie – er und die junge Frau aus der Schweiz –,
hätten sie beide diese Frage ja vorhin schon einmal gestreift, als
sie sich über die Liebe unterhalten hätten, nicht wahr.

Oh, là, là, sagt die Frau und streicht über den Oberarm des
Schriftstellers. Er lacht so, wie er Stunden zuvor über das stabile
Blau, über das Licht der Tropopause gelacht hat.

Nachts der Blick aus dem Fenster des Hotels auf die Rolltreppen, die von der Straße direkt ins Innere eines nun im
Dunkeln liegenden Shoppingcenters hinaufführen.

Frühmorgens läuft sie zur Küste, der Strand ist glatt gestrichen
und leer. In der Ferne kann sie die obersten Etagen und die
großen Schornsteine der Kreuzfahrtschiffe sehen, die an diesem
Ort gebaut werden. Deshalb die Polen, hatte der Präsident
der lokalen literarischen Gesellschaft zu ihr gesagt, nachdem
er sich nach ihrer Meinung zum Nouveau Roman erkundigt
hatte: Wenn Sie darauf achten, werden Sie an jeder Ecke die
Etablissements, die Imbisse sehen, die von den polnischen
Werftarbeitern frequentiert werden.

Im Frühstücksraum des Holiday Inn wird sie vom künstleri-
schen Direktor der Tagung herübergewunken. Setzen Sie sich
zu uns, ja? Lesen können Sie später noch. Sie geht weg und

*kehrt mit ihrer Kaffeetasse, den Blättern und dem Bleistift in*
*den Händen zurück an den Tisch. Und, ist alles in Ordnung,*
*Zimmer, Service, haben Sie gut geschlafen, ja, sehr schön.*
*Neben ihm frühstückt ihr Nachbar aus dem Flieger, mit leicht*
*geröteten Augen und feuchten Haaren sitzt er da und schweigt,*
*ab und zu lächelt er kurz, als folgte er dem Gespräch einer*
*unsichtbaren Gesellschaft.*

*Als sie erneut danach gefragt wird, was sie da lese, sagt sie, es*
*handle sich um eine Version der sogenannten Inkle-und-Yarico-*
*Erzählung; der Direktor schüttelt den Kopf – doesn't ring a*
*bell –, der Schriftsteller schlägt ein Ei auf.*

*Schon nach den ersten Seiten hatte sie gewusst, dass sie im*
*Prinzip eine weitere Robinsonade vor sich hatte, über Inseln*
*eilende Europäer, Pflanzer, die in ihren Lehnstühlen saßen,*
*bitteren Kaffee tranken und Kästners Geschichte der Mathe-*
*matik studierten, Forscher, Priester und Soldaten, die für alle*
*Dinge an diesen Orten, die sie zur Neuen Welt zählten, nur*
*ihre mitgebrachte Sprache hatten, ihre mitgebrachten Augen,*
*inkompatible Instrumente.*
    *Der Text und sein Vokabular langweilten sie, aber vielleicht*
*glaubte sie, in den Nebensätzen und zwischen den Zeilen*
*doch noch etwas finden zu können: ein Detail als Pforte,*
*die hinausführen würde in eine weniger eindeutige, dafür*
*umso realistischere historische Wirklichkeit; Stellen, die auf*
*Erfahrungen und Verhältnisse hinwiesen, die komplizierter*
*waren, als ihre Protokollanten glauben machen wollten.*

*Inkel, sagt sie zum Direktor und dem Schriftsteller vor seinem
Ei, Inkel befand sich auf der Flucht,* die Fysse trugen ihn aus
dem Gesichte der Wilden, *und er versteckte sich verzweifelt
im dunklen Gebüsch, als plötzlich ein Mädchen auftauchte,
ein* orangenroth Maedchen, *kaum bekleidet, und Inkel bat
um seine Hilfe:* Nimm mich zu deinem Sclaven *und so weiter,
flehte er es an, und* gieb mir das Leben durch die Syssigkeit
deiner Stimm', und den sysseren Innhalt.

*Sie, Yariko, betrachtete den Europäer, den sie nicht verstand,
und sagte dann ihrerseits, in ihrer Sprache: Offensichtlich
gehöre er zu den Feinden, zu jenen, die in ihren* fliegenden
Kahnen *herbeigerudert kämen und Tod und Zerstörung mit
sich brächten, aber nun scheine er dringend Hilfe zu brauchen,
und* wer du auch seyst: *Sie werde sich kümmern um ihn. Sie
gab ihm Früchte, und während er aß, fuhr sie ihm mit der
Hand durchs Haar.*

*Später ließ sie ihn an einem sicheren Ort zurück, aber
jeden Tag kam sie wieder, und zur Zeit der Abenddämmerung
brachte sie ihn manchmal* in stille, verlassene Grynde, wo er
an fallenden Wassern *ganz behütet einschlief.*

*Inkel wollte die Frau, die er liebte, zu lieben glaubte, mit
sich nach Europa bringen, er wollte sie in feinste Seide kleiden
und mit ihr in* schwebenden Haeusern von Pferden gezogen
*herumfahren, und auch sie wollte ihrerseits mit ihm gehen,
für immer seine Begleiterin sein, und trotz der Umstände war
es eine glückliche Zeit, die sie verbrachten, und als sie ein Schiff
sahen, bestiegen sie es.*

*Als die Autorin aus Havanna den Frühstücksraum betritt, hebt der Direktor seine Hand zum Gruß: Man sagt, Sie seien die Letzte gewesen, die gestern noch an der Hotelbar gesessen habe, aber man sieht Ihnen nichts an, wie alt sind Sie, so wie Sie aussehen, können Sie höchstens zwanzig sein. Die Frau lacht und fasst ihr Haar im Nacken zusammen.*

*Sie besteigen das Schiff, und was dann, fragt ihr Nachbar aus dem Flieger später, als sie sich in der Lobby wiedersehen, sein Haar noch immer feucht. Ach so, sagt sie.*

*Das Schiff war ein Sklavenschiff auf dem Weg nach Barbados, und als es dort eintraf, kamen die Besitzer der Zuckermühlen herbeigelaufen: Sie brauchten die Sklaven, um ihren Zucker günstig zu produzieren. Als Inkel sah, wie groß die Nachfrage war, meldete sich sein Kaufmannsgeist wieder, welcher bisher geschlafen, und er bot die Frau, die mit ihm reiste, einem barbadischen Pflanzer an.*

*Yariko flehte Inkel an, es nicht zu tun oder wenigstens selbst sie zur Sklavin zu nehmen, umso mehr, da sie nämlich schwanger sei, aber Inkel war fest entschlossen, und die Aussicht auf ein Kind erlaubte ihm, den Preis zu erhöhen.*

*In einem zweiten Teil, sagt die Frau aus dem Flieger, als sie sich bereits dem Tagungsgebäude nähern, wird Yariko von ihrem Käufer freigelassen und Inkel, der inzwischen alles bereut, für seine Herzlosigkeit mit Sklavenarbeit bestraft, und irgendwann wird ihm mitgeteilt, es habe ihn jemand freigekauft.*

*Yariko, sagt der Schriftsteller, die Hände in den Manteltaschen vergraben.*

*Später sieht sie ihn, den Schriftsteller, allein über den Pier gehen; unbemerkt von ihm einige Vögel über seinem Kopf.*

*Wenn man den Konferenzsaal durch den hinteren Ausgang verlasse und durch die nächste unbeschriftete Tür gehe, sagt er zu ihr, dann betrete man den angrenzenden Saal, in dem heute ein Markt stattfinde, dort reihten sich die Stände, an denen frittierte Kochbananen, Hühnereintopf und Fufu, gewobene Decken und geschnitzte Figuren verkauft würden. Anders als hier sei es ganz warm dort, sagt er, er habe sofort die Übersicht verloren, sei zwischen den Ständen umhergeirrt, habe Ohrringe gekauft für eine Bekannte, eine Freundin.*

*Als sie vor ihrer Abreise noch einmal zum Wasser geht, erinnert sie sich an die langen Korridore der Fähre, auf der sie als Elf-jährige mit ihrer Familie von Venedig nach Patras gefahren war, das weitläufige System von Fluren und Treppen, weit unten die verlassenen Autos, von irgendwo immer das Klingeln der Spielautomaten.*

—

Donnerstag, Aarau: Als ich aus der Unterführung auf die Straße trete, stehe ich vor dem ehemaligen *Café Métro / Play-land.* Auf der Fensterscheibe die Abbildung der Maschinen SPUTNIK, SUPER-BALL 500, SPUTNIK JACKPOT, CHERRY BALL.

Schweizer Mittelland.

Im Ringier Bildarchiv (RBA) Negativ-Taschen, Mäppchen,
ein Umschlag (RBA 6 Werner BRUNI) mit Abzügen.
Der Archivar händigt mir weiße Handschuhe aus: Hier
der Schalter für das Lichtpult, dann lasse ich Sie mal.

*Thun 2.5.79*
    *Lotto-Millionengewinner Werner Bruni (größer mit Mantel*
*ohne Krawatte) mit seinem Chef Walter Hauenstein, der auf*
*seinen Wunsch sein Geld verwalten wird.*

Sieben Bilder von Bruni und Hauenstein, die sich im
Büro des Chefs die Hände schütteln. Die Lichtverhältnisse
scheinen nicht gut gewesen zu sein, auf manchen Fotografien
stehen die Männer scheinbar im Dunkeln, auf anderen sind
ihre weißen, überbelichteten Gesichter fast konturlos.

Jenes Bild, das am 3. Mai 1979 schließlich auf der Titelseite
der Zeitung abgedruckt wird, zeigt Hauenstein, der strahlend
in die Kamera blickt, während Bruni sich seinem Arbeit-
geber zuwendet, als schaute er zu ihm auf, begeistert und mit
Bewunderung, obwohl er ja viel größer ist, in ihren beiden
Händen der Lottoschein. Es scheint Abend zu sein, jedenfalls
im Fenster die Spiegelung der Deckenlampe.

—

Je mehr ich zu wissen meine über diese Geschichte, desto
zahlreicher die Unstimmigkeiten, Abweichungen: Zeiten,
Zahlen, Formulierungen, die sich widersprechen als Hinweise
darauf, dass die Erinnerungen fehlerhaft, die Recherchen

ungenau oder die Datierungen falsch sein können. Und weil der Videoreporter, der BLICK-Fotograf, der Journalist, der Lottokönig und sein Ghostwriter einander zitieren, weil sie sich gegenseitig auf ihre Darstellungen, auf ihre Berichte stützen, gibt es keine eigentliche Erzählung, keine *wahre Begebenheit,* keine sichere Quelle, zu der zurückgegangen werden könnte: Die Geschichte des Lottokönigs beginnt mit dem Auftauchen der Fotografen.

Aber schon diese Initiation, dieser erste Empfang, *the making of a king* im obersten Stock der Skifabrik Rebell ist fragwürdig:
Die Daten, die ich im Archiv finde, decken sich nicht mit der Folge der Ereignisse in der Erinnerung WBs oder mit dem, was der Ghostwriter als solche notiert hat, und der Fotograf, dessen Namen ich auf der Rückseite eines Abzugs finde, der den König und den Chef an jenem Abend zeigt, schreibt aus Steffisburg, er habe im betreffenden Jahr, 1979, gar nicht für die Zeitung gearbeitet.

Als könnte also alles immer so oder anders gewesen sein: so wie aus jener Kutsche, die Louverture im Sommer 1802 durch Frankreich transportiert, in den Quellen plötzlich zwei werden.

Bereits an diesem Abend jedenfalls, bei dem es sich vielleicht um einen Dienstag, wahrscheinlicher aber um einen Mittwoch gehandelt hat, erklären die zwei offenbar, der Chef wolle sich fortan um den Lottogewinn seines Angestellten kümmern:
Gut möglich, dass er nur das Beste für seinen Unter-

gebenen will, der ja nichts weiß über das Geld und den
Umgang damit,

keine Ahnung,

gut möglich auch, dass ihm der neue König doch nicht
ganz geheuer ist: wie eine Pflanze, die über Nacht in die Höhe
geschossen ist,

Geisterpflanze,

so dünn und groß und ganz weiß im Blitzlicht.

—

Ein zweites Bild: WB und seine Frau im Wohnzimmer, vor
ihnen, verschwommen, eine Fruchtschale, im Hintergrund
Hängepflanzen, eine Wohnwand, darüber ein aufgespanntes
Fuchsfell, es ist das Jahr 1979.

Erst als ich den Abzug längst zur Seite gelegt habe, fallen
sie mir auf: An den beiden seitlichen Enden des obersten
Elements der Wohnwand stehen die zwei Figuren aus der
Versteigerung; die linke mit ihren über den Kopf gehobenen
Armen, rechts jene, die ein Gefäß auf der Schulter trägt.
Zwischen ihnen eine ordentlich aufgereihte und beschriftete
Sammlung von Steinen, zwei verzierte Behältnisse, ein
Globus.

Überhaupt: Die ganze Wohnung gefüllt mit mitgebrachten
Gegenständen, Souvenirs, hier ein Kamel, dort ein lang-
halsiger Krug, an den Wänden das Bild eines Segelschiffs,
zwei gekreuzte Messer, und auf dem Fernseher neben einer
Blumenvase zwei weitere schwarze Figuren, beide stehend,

eine von ihnen trägt Speer und Schild, ein Krieger also. Hell leuchten sie auf den Negativen, als wären sie aus fluoreszierenden Stoffen geschaffen, als hätte erst die Fotografie sie offenbart.

Es sei 1986 alles unter den Hammer gekommen, schreiben WB oder sein Ghostwriter, sogar die Plastiken aus Haiti. Aber das Bild sagt: Schon 1979 befinden sich die zwei Figuren in diesem Wohnzimmer; fünf Jahre bevor der Lottokönig überhaupt seine karibische Reise antritt.

—

Vor dem Glücksfall 1979: Ferien in Tunesien, Marokko, Rumänien, dreimal reist er nach Kenia mit seiner Frau.

»In Kenia blastete sie am liebsten im Liegestuhl, schlief oder schaute hinaus in den Pool, mit einem Drink in der Hand. Mich zog es fort. Zu den Tieren in die Wildnis und zu den Massai mit ihren Herden. Der schwarze Mann hat mir nie nichts getan. Aber R. hatte Schiss. Zu Recht. Gegen sie hätten die stolzen Krieger den Spiess umgedreht.« (*Lottokönig*, S. 70)

Vielleicht von dort, aus Kenia, die Figuren, die Frauen und der Krieger, die hölzernen Gefäße, die Messer an der Wand.

—

Ein drittes Bild zeigt die Versteigerung von Spiez. Die Bild-legende: »Lottomillionär Bruni: Der Weibel versucht an der Versteigerung Werner Brunis Wein an den Mann zu bringen.« Hinter dem Weibel, der eine Weinflasche in der rechten Hand hält, ein Tonmann mit Kopfhörern und Mikrofon, der zum Team des Dokumentarfilmers gehört haben muss.

Habe ich schon gewusst, klar, dass die Geschichten fabriziert sind, dass auf die Erinnerungen kein Verlass ist, hab ich ja gesagt, ich hab ja in der Schule nicht geschlafen.

—

Eine Woche nachdem der BLICK seine Identität gelüftet hat, steht der Lottokönig am 10. Mai 1979 noch einmal auf der Titelseite: »1 Million Steuern – es bleiben ihm 729 386.–«

In derselben Nummer (S. 11) ein Artikel über den Bandleader Teddy Stauffer (70): Sieben Tage lang habe er am Strand von Acapulco seinen Geburtstag gefeiert, ein Bieler Koch habe zu seinem Geburtstag ein Riesenbuffet aufgebaut, die Familie Arriaga mexikanische Musik gespielt. Feuerwerk. Danach sei er mit seiner »neuen, dunkelhäutigen Freundin Jewel (27)« in die mexikanischen Berge gefahren.

Ein Bild: »Teddy Stauffer mit seiner neuen Freundin Jewel auf dem Riesenbett in der Super-Villa Isla: Es war die ganz grosse Liebe auf den ersten Blick!«

Ebenfalls auf S. 11: Stelleninserate für einen Ölfeuerungs-
monteur, Elektromonteure, einen Isoleur und einen Isolier-
spengler.

In der linken Spalte das Bild eines Tänzers:

Aus Haiti
4.–13. Mai in Zürich, Züspa-Hallen

Ballett Bacoulou:
Eine exotische Show mit hinreissenden
Rhythmen. Bunt, faszinierend.
22 Tänzerinnen und Tänzer.
Einmalig zum Filmen und Photographieren
[…]
an der Photoexpo

# Port-Salut

– Port-Salut war also die glückliche Zeit?

– Im Buch über sein Leben, das Leben des ersten Lotto-
millionärs des Landes, heißt es zumindest: »Haiti ist meine
schönste Erinnerung.« Wenn er an seinen verlorenen
Reichtum denke, denke er an Haiti, und es sei ihm nicht viel
mehr davon geblieben als eine Muschel, die ihm die Kinder
von weit draußen aus dem Meer geholt hätten, eine große,
zarte, rosarote Muschel. Klar, vielleicht nur ein Kniff des
Reporters, des Ghostwriters: Dieser kurze, schöne, seltsame
Höhenflug, bevor der Niedergang unaufhaltsam seinen Lauf
nimmt. Die glänzende Muschel aus dem Meer als Zeichen
dafür, dass der Arbeiter als König mal kurz ganz woanders
war, dass er irgendwohin geflogen ist, wo es ihm gefiel, wo er
sich ganz heimisch gefühlt hat. Dass das eben ausgerechnet
diese Insel war, ja, das ist ja schon merkwürdig, aber dann
leuchtet es mir auch wieder ein.

Erst kürzlich habe ich wieder daran gedacht, wie ich im
Winter an der französischen Küste im eisigen Wind die
polnischen Arbeiter gesehen habe, die die Kreuzfahrtschiffe
zusammenbauten, diese riesigen Vehikel, die dann irgendwann in der Zukunft zum Beispiel im Norden Haitis ankern
werden, in Labadee, wo eine Kreuzfahrtgesellschaft für ihre
Gäste ein privates Paradies betreibt, ein gepachtetes Strand-
gebiet, das Zäune vom Rest der Insel trennen. Die Frage,

was nun diese polnischen Männer mit den Leuten auf dieser
Insel, mit ihren Bewohnern und Bewohnerinnen zu tun
haben, die ist ja eigentlich viel zu einfach, und dann wird sie
sehr rasch kompliziert.

Auch im Falle W Bs kann ich mich nicht entschließen,
ob er damals nicht doch als Herr, als freundlicher, aber
doch, endlich: als Herr über die Insel spazierte, ob er sich
als Gönner fühlte oder ob er wirklich zu spüren glaubte, es
verbinde ihn etwas mit diesem Ort, ob es ihn hinzog zu den
Leuten, als hätte er ein früheres Leben dort gelebt, als wäre er
endlich zurückgekehrt an eine Stelle von Bedeutung, als hätte
er das alles früher einmal im Traum gesehen. Er, der von
sich selbst ja sagte, er habe oft die »Mohrenbüez« gemacht:
als er zum Beispiel zum Grimselpass hoch in die Stollen
geschickt wird und dort, im Schlammwasser, nach jeder
Sprengung die Wasserleitungen verlängert.

—

Warum nicht gleich alles erfinden, wo es sich doch auch
bei der *wahren Geschichte* augenscheinlich um eine Fiktion
handelt, um eine Montage im Mindesten.

Die Erfindung der *glücklichen Zeit*: Das Märchen von X
im Glück.

—

*Es ist noch dunkel, als die Maschine den Flughafen Basel-
Mulhouse Richtung Paris verlässt. Auf den Wiesen neben
dem Rollfeld liegt Schnee, es schneit seit Stunden, seit Tagen
vielleicht. Einer der Passagiere, ein großer, schmaler Mann –
X –, hat, bevor er sein Haus um zwei Uhr morgens verlassen
hat, um zum Flughafen zu fahren, noch einen Blick auf das
Thermometer geworfen: sechs Grad unter null. Nun sitzt er
mit geradem Rücken da, während das Flugzeug steil aufsteigt
und nach einer Weile dann seine Flughöhe erreicht: Sechzehn
Stunden lang wird er diese Kabine nicht mehr verlassen. Eine
ganze Weile noch bleibt es dunkel vor den Fenstern, irgendwann kommt das Licht, da befindet sich die Maschine vielleicht
schon über dem Atlantik. Das Jahr 1984 ist noch keine vierzig
Stunden alt.*

*Als das orange Signal über den Sitzreihen erlöscht und die
Fluggäste ihre Plätze verlassen dürfen, steht der Mann auf,
zieht seine warme Jacke aus und legt sie sorgfältig gefaltet in
das Fach über ihm. Hin und wieder wechselt er in den nächsten
Stunden einige Sätze mit den Leuten zu seiner Rechten und
Linken, mit denen er in einer Verbindung zu stehen scheint,
meist aber schweigt er und schaut vor sich hin, ohne etwas
zu tun, ohne eine Beschäftigung zu suchen. Die Fliegerei
interessiert ihn, aber auch nicht zu sehr: Schließlich sitzt er
nicht zum ersten Mal in einem Flugzeug, er ist schon nach
Hammamet in Tunesien geflogen, überhaupt nach Nordafrika,
und dreimal ist er nach Kenia gereist.*

Als sich ein Gespräch entspinnt über den Verlauf der Zeitzonen und die Bewegung, die das Flugzeug in diesem Moment vollzieht – rückwärts in der Zeit, aber vorwärts mit der Sonne, wagt der Elektriker neben ihm einen Versuch –, schließt er die Augen. Er mag sich jetzt nicht beteiligen an diesem leutseligen Geplapper, noch nicht: Er wird noch genug Zeit in Gesellschaft dieser kleinen Gruppe von Landsleuten verbringen müssen. Vor seinem inneren Auge sieht er das Licht, wie es sich fortlaufend nach Westen über die Erdkugel ausbreitet, sieht eine Hand, die den Tischglobus in seinem Wohnzimmer leicht anstößt und zum Rotieren bringt, sieht kommunizierende Röhren, Baustellen, ja Baustelle um Baustelle, dann schläft er noch einmal ein.

Zweimal, erst in Paris und dann, schon auf der anderen Seite des Atlantiks, in Guadeloupe, landet das Flugzeug und verbringt einige Zeit am Boden. Dann, endlich, setzt es auf in Port-au-Prince. X, die Jacke über dem Arm, tritt hinter dem Elektriker aus der Maschine auf die Treppe, die aufs Rollfeld hinunterführt, und meint zu sterben: Die Hitze hat seinen Körper augenblicklich im Griff, umklammert ihn, der noch dieselben Kleider trägt, in denen er um zwei Uhr morgens mitteleuropäischer Zeit aus dem Haus ins Schneegestöber getreten war. So plötzlich und vollständig findet er sich in diese brennende Hitze gehüllt, dass ihm für einen Augenblick tatsächlich Hören und Sehen zu vergehen scheint: Gerade noch kann er die Umrisse der Freundin des Elektrikers erkennen, die vor ihm aus dem Flugzeug getreten ist. So hell leuchtet ihre weiße Haut in der Sonne, dass es ihn, X, schon fast wieder an Kälte erinnert, an das kalte Licht des Schweiß-

*brenners. Der Elektriker schirmt mit seiner Hand die Augen*
*ab, hinter X tritt der Bodenleger fluchend aus dem Flugzeug:*
*Verdammte Sauhitze hier. Dann seine Frau, die Frau des*
*Bodenlegers, die Sonnenbrille an einer Kette um den Hals, im*
*Arm noch die gefütterte Wildlederjacke aus dem europäischen*
*Winter. Die fünf taumeln die Treppe hinunter und über den*
*glühend heißen Asphalt zum Flughafengebäude, während*
*die Frau, die sie zu dieser Reise eingeladen – oder besser: die sie*
*engagiert hat und in deren Auftrag sie also hierhergekommen*
*sind, schon vorausgegangen ist. Sie, Y, die Auftraggeberin,*
*erlebt die schockierende Wirkung der abrupten Klimawechsel,*
*das durch die künstliche Verlängerung der Tage, durch die*
*herausgezögerten Nächte hervorgerufene Gefühl der Unwirk-*
*lichkeit nicht zum ersten Mal: Sie ist nicht beeindruckt, so*
*scheint es zumindest.*

*Irgendwo am Flughafen dann winkend der Sohn, Y's Sohn,*
*der schon im vergangenen Jahr hergeflogen ist und vergeblich*
*versucht hat, den per Schiff verschickten Container aus dem*
*Zolllager auszulösen. Was für ein Trara, denkt X müde, als sie*
*um den Sohn geschart vor der Flughalle stehen: Als wäre er die*
*längste Zeit verschollen gewesen, als hätten sie sich seit einer*
*Zillion Jahre nicht mehr gesehen. Dieses Gegacker, das pau-*
*senlose Plappern der Frauen. Er verzieht keine Miene, stellt nur*
*nach einer Weile den Koffer ab, schaut sich über die Köpfe der*
*anderen hinweg die Umgebung an. Später, im Hotelzimmer,*
*schläft er sofort ein.*

—

*abgelegt, wirkt er plötzlich jung, jünger, während die Hitze den anderen zuzusetzen, ihnen zusätzliches Gewicht zu verleihen scheint. Und nun, endlich, verlassen sie die Hauptstadt und bringen die dreihundert Kilometer hinter sich, die zwischen Port-au-Prince und Port-Salut liegen. Die Handwerker, ihre Frauen und X fahren auf der offenen Ladefläche des Lastwagens zwischen dem Material aus dem Schiffscontainer mit: Lavabos, WCs, eine Einbauküche, Schläuche, eine Notstromgruppe, Werkzeug.*

*Niemand weiß, was sie unterwegs sehen, diese fünf Leute hinten auf dem Laster: Sie halten sich an den Seitenklappen fest und versuchen sich trotz des Lärms, den der Motor und die festgezurrte Fracht verursachen, zu verständigen; ihre Oberkörper schwanken zeitgleich nach links, dann wieder nach rechts, wenn eines der Wagenräder in ein Loch gerät. Erst lachen sie noch darüber, wie das Fahrzeug über die unebene Fahrbahn schaukelt, aber bald sind sie erschöpft von seinem unberechenbaren, schonungslosen Kurs. Der Elektriker bindet sich gegen den Staub ein Tuch vor das Gesicht, sodass nur noch seine Augen zu sehen sind. Nicht X: Das hält er nicht für nötig. So ist es nun mal hier, staubig, Punkt. Er hat schon andere Dinge erlebt.*

*Tatsächlich: Wie Karl Roßmann durch Kafkas Amerika scheint es ihn durchs Leben zu schleudern – hier der Bäcker, der ihm eins überzieht, dort das Fahrrad des Vaters, das am Ufer des eiskalten Flusses gefunden wird, hier die Eisenrohre, die ihm auf der Baustelle alle Zähne aus dem Mund schlagen. Wer ahnt schon, als sich das Blatt dann auf einmal zu wenden scheint,*

*als das Geld plötzlich auf X herunterregnet und man in den*
*Fernsehstudios das Licht der Scheinwerfer auf ihn richtet, dass*
*er keinen einzigen eigenen Zahn mehr im Mund trägt.*

*Vorne, neben dem Fahrer, Y mit ihrem Sohn. Vor Monaten*
*schon hat sie den Männern ihr außergewöhnliches Anliegen*
*vorgetragen: In der nach ihr benannten* Maison Y *in Port-*
*Salut müssen Leitungen gelegt,* WCs *angeschlossen, Drähte*
*eingezogen, Böden verlegt, die Wände gestrichen werden. Als*
*Sanitärinstallateur hat man ihr X empfohlen. Er überlegt*
*lange, dann sagt er zu. Das Geld für den Flug mit der Air*
*France leiht er sich bei der Bank.*

—

– Das ist es im Grunde, was ich sagen wollte.
– Das ist alles?
– Ja.
– Es ist mir erst kürzlich aufgefallen, dass du noch immer
dieselbe Hose trägst wie damals, zu Beginn.
– Ach ja?
– Es war so, dass du behauptet hast, du würdest einfach so
die ganze Zeit im Gestrüpp herumstehen, und ich sagte
dann, man würde es deiner Hose ansehen, dass du an irgend-
welchen Sträuchern hängengeblieben seist.
– Tatsache.
– Würdest du das immer noch so beschreiben, dass du da
irgendwie in was drinsteckst?
– Ja, schon. Gerade lese ich *L'éducation sentimentale.*
– Da drin, in diesem Gebüsch oder Gestrüpp?

– Ja, ja. Irgendetwas muss man ja tun.

– Liest du das Buch zum ersten Mal?

– Ich habe diese ganzen Bücher nicht gelesen. In meiner Familie ist man ja eher ins Kino gegangen und hat die lokale Zeitung gelesen, Dürrenmatts Kriminalromane, Comics, so was in der Art.

– Und gefällt es dir, das Buch?

– Gleich zu Beginn, weißt du, als der junge Mann, Moreau, am Pariser Quai Saint-Bernard an Bord des Schiffes geht und zum ersten Mal die Frau, Madame Arnoux, sieht, die ihn für Jahre dann gefangen nehmen wird, als sich ihm zum ersten Mal diese Erscheinung offenbart, da tritt für einen Augenblick eine schwarze Frau ins Bild, ein Kindermädchen, ein Seidentuch um den Kopf gewunden, über die es dann heißt, Arnoux habe sie wohl »von den Inseln mitgebracht«.

– So beginnt das Buch?

– So beginnt die *Erziehung des Herzens*.

– Ein wenig überrascht mich das nun schon, dass du meinst, es sei jetzt alles gesagt. Zumal der Lieferwagen ja noch nicht mal angekommen ist.

– Ich hab mir das kürzlich im Internet angesehen, wie jemand mit einer vor der Windschutzscheibe angebrachten Kamera auf einer gewundenen Straße hinunter nach Port-Salut fährt und dann an der Küste entlang Richtung Westen. Es muss kurz nach dem letzten Hurrikan gewesen sein, auf jeden Fall liegen da überall Baumstrünke, bleiche Baumgerippe am Strand herum und Palmen, die es einfach so zusammengefaltet hat, und es ist alles sehr hell, weiß eigentlich: der Sand, die unbefestigte Straße, das Mauerwerk der Häuser, über die der Sturm hinweggezogen ist. Und

dann der blaue Himmel und das Blau der Planen überall
da, wo das Unwetter die Gebäude abgedeckt hat, und eines
dieser Häuser da draußen an der Küste könnte jedenfalls die
Villa der Schweizerin sein, die 1984 noch ein Rohbau war.
– Die eingeflogenen Handwerker haben den Bau also fertig-
gestellt?
– Nachdem sie erst einmal an den Strand gegangen sind,
zumindest der Bodenleger und der Elektriker. Die kamen ja
aus dem tiefen Winter an diese Sonne. Während der Sanitärinstallateur gleich mit der Arbeit begonnen hat.
– Und dann?
– Wenn du tatsächlich meinst, es müsse noch weiter erzählt
werden: Gut, in Ordnung. Aber wenn du glaubst, es gebe ein
Ende, dann täuschst du dich.

—

Es muss lange nach Mitternacht sein, als ich aufwache
und die Treppe hinuntergehe: Durch die in die Mauern
eingelassenen Fensteröffnungen fällt schwaches Licht – das
erste Licht des Tages, denke ich, das am Horizont herauf-
kriecht. Erst als ich die dem Meer zugewandten Räume des
Hauses betrete, höre ich über dem Rauschen des Atlantiks die
Stimmen mehrerer Personen. Ich trete an eines der Fenster,
ich rieche den feuchten Mörtel und den salzigen Geruch des
Wassers. Draußen, im Halblicht, an einer langen, behelfsmäßig zusammengeschreinerten Tafel, sitzen Heinrich von
Kleist und Adam Smith und spielen Yahtzee. Etwas abseits
steht der Lottokönig, seinen samtenen Umhang trotz der
Wärme der Nacht eng um den Oberkörper geschlungen.

In der Ferne gehen die Brüder der heiligen Teresa über den Strand und sammeln Treibholz für ein Feuer, die weiten Ärmel ihrer weißen Hemden flattern im Wind.

—

Schreibe jetzt alles nur noch aus der Erinnerung, hangle mich von der einen zur nächsten Stelle, die sich mir beim Lesen eingeprägt hat: die Ankunft im Rohbau, die Kinder, die die Muscheln aus der Tiefe holen, die Sache mit der Ziege.

Dazu meine Vermutungen und mein Wissen aus zweiter Hand. Aus dem Internet die Bilder von Wolken, riesigen weißen Flocken, die über den tropischen Himmel ziehen. Dichte der Frau des Bodenlegers eine Sonnenbrille an und so weiter.

Insgesamt eine Bastelei.

—

*(Forts.)*

*Als das Fahrzeug endlich sein Ziel erreicht und sie nacheinander über die Heckklappe vom Wagen springen, sieht X trotz der Dunkelheit gleich, dass es sich bei dem Gebäude um wenig mehr als eine Skizze handelt, um die Andeutung dessen, was in der Zukunft einmal vornehm* Maison Y *heißen soll. Sie betreten die Baustelle, zünden Kerzen an, um etwas sehen zu können. Ratten laufen durch die leeren Räume. Dann trinken und essen sie, den Staub der Fahrt noch immer in den Augenwinkeln, den Lidfalten, im Haar und auf der ver-*

*schwitzten Haut. Vor ihren Augen liegt das nächtliche Meer,*
*ein dunkler Pool, der sie nun vollständig umgibt: Tag und*
*Nacht laufen die Wellen auf die Insel zu und brechen an ihren*
*Rändern.*

*Am nächsten Morgen, als X aus dem Haus tritt, steht dort ein*
*Kind und kocht über einem Feuer Wasser auf.*

*Hohe Palmen.*

*X inspiziert die Baustelle, er beginnt mit der Installation der*
*Toiletten und Waschbecken. Wer auch immer sich vor ihm an*
*diesem Haus zu schaffen gemacht hat, hat schlechte Vorarbeit*
*geleistet. Die Anschlüsse der Anlagen, die X über den Atlantik*
*hat schicken lassen, passen nicht zu den verlegten Rohren.*
*Aber das kennt er ja schon, die Nachlässigkeit der anderen: Er*
*wird sich etwas einfallen lassen, er wird die Schlamperei seiner*
*Kollegen wettmachen, und am Ende wird alles, wie immer,*
*in Ordnung sein. Das Thermometer zeigt vierzig Grad im*
*Schatten. Er arbeitet stundenlang ohne Pause. Seine Veraus-*
*gabung geschieht nicht aus Pflichtgefühl, sondern aus Prinzip.*

*Abends, wenn es kühler wird, geht er zum Meer hinunter und*
*schwimmt, er lässt sich von den Wellen hochheben, umspülen.*
*Danach trinkt er ein Glas Rum: So, glaubt er, bleibt er gesund,*
*auch dann, wenn er den Kaffee der Einheimischen trinkt,*
*die ihn am Strand in ihre Häuser, in ihre Hütten einladen.*
*Es ekelt ihn vor dem Kaffee, den sie in ihren kümmerlichen*
*Behausungen zubereiten, aber er nimmt die Tasse oder das*
*Glas, das ihm gereicht wird, trotzdem entgegen, und er trinkt.*

*Morgen für Morgen wieder das Kind, das einen Eimer voll
Wasser zum Haus hochträgt und aufkocht, Wasser für Y.*

*Nachmittags, wenn der Elektriker und der Bodenleger längst
wieder neben ihren Frauen am Strand in der gleißenden
Sonne liegen, andere Kinder, die plötzlich im Raum stehen
und ihn, X, und seine Hände mustern, die mit dem Werkzeug
umgehen. Sie folgen ihm durch die Zimmer, sie hängen sich an
ihn. Und er probiert sein Französisch, das er gelernt hat, als
er in der Westschweiz für die Bäcker arbeitete, und die Kinder
antworten, nennen ihre Namen, französische Namen, die alle
mit Jean beginnen.*

*Beharrlich arbeitet X an diesem Haus, dem Haus Y, das ihm
nicht gehört und nie gehören wird, und weil ihm nichts zu
entgehen scheint, weil er sich auszukennen scheint in allen
Dingen, auch in jenen, die nicht zu seinem Fach gehören, wird
er bald als Vorarbeiter angesehen: Hier, sagt er, können die
Fugen gemacht werden, müssen die Drähte eingezogen werden,
hier fehlt dies und dies, hier gibt es ein Problem.*

*Der Kapo auf dem Flachdach mit einem Wasserschlauch in der
Hand.*

*So wie er sich immer ganz hergegeben hat für die Arbeit auf
den Baustellen der Mehrfamilienhäuser, der Hotels und der
Wohnblöcke, gibt er sich nun her für dieses Domizil in der
Karibik, obwohl doch nichts dabei herausschaut für ihn und
obwohl er doch zu Hause der berühmte König des Lottos ist.*

—

Wie die Arbeiter nach Marx die eigene Haut zu Markte tragen: Das scheint der Lottokönig zeitlebens ganz vorbildlich getan zu haben, ja, überaus dienstfertig, könnte man sagen, bot er sich an.

»Nichts war mir zu streng, nichts zu dreckig.« (S. 37)

Im Gegensatz dazu die Kollegen, die sich so oft wie möglich an den karibischen Strand verdrücken. Warum sollten sie sich mehr abverlangen lassen als nötig, da sie doch sowieso schon das Nachsehen haben, im Großen und Ganzen, d. h. selbst nie zwischen den Wendekreisen residieren werden.

—

In der Postfiliale über dem Kopiergerät die Anzeige des aktuellen Lotto-Jackpots (9,8 Millionen). Kopiere Literatur, Texte, Fragen: *Was The Plantation Slave a Proletarian*? Draußen ein helles Durcheinander, der Verkehr steht beinahe still, Fußgänger hieven ihre Einkäufe zwischen den Autos hindurch über die Straße. Die Bus-Chauffeure stehen an der Haltestelle, die Hände in den Taschen ihrer dunkelblauen Blousons.

—

Wenn man jetzt von mir wissen wollte, was ich denn halte von ihm, dem Lottokönig, dann würde ich in Verlegenheit geraten:

Ein gewöhnlicher Mann,

einfacher Arbeiter,

ein sogenannter Verlierer,

der Verlierer als Gewinner/Gewinner, der alles verloren hat,

ein Melancholiker, mit hellen, stechenden Augen,

blöd, wie er über die Frauen sprach.

(Nur über Heidi Abel nicht, die ihn damals im Fernsehstudio empfängt: *Eine Superfrau.*)

—

In den Filmen über WB einige Fotografien aus seiner privaten Sammlung: das fertiggestellte Bad im Ferienhaus, Palmen, Palmen vor Sonnenuntergang, Kinder, die die Stämme der Palmen hochsteigen, WB und die Ziege.

—

*(Forts.)*

*Fragte man ihn nach seinem Befinden, so nickte er: Danke, gut. An das Klima hat er sich gewöhnt. Zweimal täglich trinkt er ein Glas Rum. Dass ein ganzer Ozean zwischen ihm und* seiner Frau liegt, erleichtert ihn. So zumindest hätte er es selbst geschildert: Dass er im Prinzip immer lieber allein gewesen ist.

Nun leisten ihm die Kinder Gesellschaft, sprunghafte Wesen, die sich auf den Fußboden legen, um zuzuschauen, wie er mit dem Schraubenschlüssel hantiert, die plötzlich neben ihm auftauchen, auf dem Flachdach, in der Waschküche, am Strand, wo sie ihm große, rosafarbene Muscheln entgegentragen, als böten sie Opfergaben dar.

Als das Haus nach Wochen immer deutlicher Gestalt annimmt, richtet Y ein Fest aus. Der Metzger liefert Würste, und aus dem Umland laufen die Leute herbei, die Kinder bringen ihre Eltern mit. Sie alle wollen das Haus sehen, die kleinen Wunderwerke, die X und seine Kollegen vollbracht haben, nun, da die Anschlüsse auf die Rohre passen und elektrisches Licht in allen Zimmern von der Decke scheint.

X erklärt die Dinge in seinem Bäckerfranzösisch, und alle jubeln ihm zu, hängen an seinen Lippen. Er schaut in die Menge der Gäste, die sich um ihn drängen: Sie lassen mich hochleben, sagt er zu sich, sie feiern mich geradezu. Man merkt ihm nichts an, und er fährt fort mit der Führung durch das Haus, erklärt alles, so gut er kann: Hier fehlt nur noch die Wasserzuleitung. L'amenée de l'eau.

Spätnachts: Y geht mit kleinen, tänzelnden Schritten über die Veranda und prostet mit ihrem Glas den verbliebenen Gästen zu. Sie ist glücklich: Das Schlimmste ist geschafft. Die Kollegen sitzen auf einer Bank und trinken Bier. Einer von ihnen weist mit dem Kinn auf das Karibische Meer. Dieses verfluchte Rauschen. Das könnte einen noch in den Wahnsinn

*treiben. Sie lachen. Aber sich die Sonne jeden Tag auf die Rübe*
*scheinen lassen, während sich die anderen zu Hause die Finger*
*abfrieren: Warum nicht.*

*X steht auf und geht einige Schritte: Er braucht jetzt nicht*
*noch mehr von diesem Gerede; was ihm gefällt, ist ja eigentlich*
*die relative Stille bei Nacht, die totale Dunkelheit.*

*Da löst sich aus einer Gruppe von Leuten am Feuer ein*
*Mann. Es ist der Bauleiter, der sich neben ihn stellt und gleich*
*auf den Punkt kommt: Ob er nicht vielleicht bleiben wolle.*
*In der Ferne die Bewegung der dunklen Wedel der Palmen,*
*als grüßten sie ihn.*

*Natürlich kann er nicht bleiben. Einige Wochen später fliegt er*
*zurück über den großen Teich, wie er es nennt, dieses riesige,*
*lichtblaue Wasserbecken.*

—

WB, der sein Werkzeug einpackt und zurück über den
Atlantik fliegt. Ein Abschiedsgeschenk, eine Machete, lässt
er sich per Post nachschicken. Er habe, gibt er seinem Ghostwriter zu Protokoll, einem Mann, dem ein Fuß fehlte, aus
einem Ast eine Krücke gemacht und dessen Kind und zwei
anderen sein Geld dagelassen für Uniformen, Schuhe, Hefte,
Schulgeld für drei Jahre etc.

Dafür die Machete bekommen, die in einer geflochtenen
Hülle steckte.

—

Und aus der Karibik, heißt es an anderer Stelle, stammten auch die zwei Figuren, die Plastiken, die zwei Jahre später, als man dem König den schönen Umhang wieder auszieht und die Krone vom Kopf nimmt, für fünfunddreißig Franken in Spiez versteigert werden.

Als handelte es sich bei den zwei hellen Schemen, die ja auf den Negativen von 1979/80 schon auf dem Regal in WBs Wohnzimmer zu sehen sind, um Gesandte aus der Zukunft. Um Vorzeichen. Auch: Als kündigten sie schon das Ende an.

Dabei hat er sie vermutlich aus Kenia mitgebracht, wo es ihn ja auch schon fortgezogen hat, weg vom Pool, hinaus in die Ebenen, die sogenannte Wildnis.

—

Die Kollegen nach seiner Rückkehr: Ob man jetzt so weit sei, dass man als Mitarbeiter *einen N----* bekomme.

Er ist so braun, dass man meinen könnte, er hätte den ganzen Winter geurlaubt, schlafend in der Sonne gelegen, während die Hiergebliebenen Tag für Tag durch den Matsch zu den Baustellen stapften.

Dass er in Wirklichkeit wochenlang, so steht es zumindest in seinem Buch, umsonst gearbeitet hat, *gratis*, und sogar für den Flug selbst aufgekommen ist,
    dass er sich nicht viel gegönnt hat,
    abgesehen von einer Ziege:
    Das sieht man ihm ja nicht an.

—

Die Entthronung des Königs beginnt im folgenden Jahr. Die
Vollmacht über sein Konto hat er dem Chef einige Jahre
zuvor bereits wieder entzogen, weil er die Dinge selbst in die
Hand nehmen will. Den Zwölfer, aus dem eine Partei nach
der anderen ausgezogen ist, hat er längst wieder verkauft –
zum Preis, den er selbst dafür bezahlte (1,95 Millionen).

WB und seine Frau haben die Übersicht verloren: Sie machen
das ja alles zum ersten Mal. Die Summe der unbezahlten
Rechnungen wächst in den Bereich des Fünf-, des Sechs-
stelligen.

Am 2. August 1986 dann die Schlagzeile: »Erster Schweizer
Lottomillionär im Konkurs!« Die Schulden, heißt es,
beliefen sich auf 670 000 Franken. Am Tag zuvor, dem
Nationalfeiertag, sei im Simmentaler Amtsanzeiger die
Konkurseröffnung bekannt gegeben worden.

—

Und dann also die Versteigerung: Die Männer, die Frauen
und Kinder, die in den Saal des Gasthauses am Thunersee
strömen, um die Besitztümer des gefallenen Königs zu
sehen. Erwartungsvoll sitzen sie an den langen Tischen,
noch draußen im Flur stehen sie gedrängt und warten auf
den Beginn des Rituals, das diesen übermütigen Arbeiter
endgültig eines Besseren belehren und die Ordnung wieder
herstellen wird.

Alle Augen sind auf den Weibel gerichtet, der die Rolle des Versteigerers, des Zeremonienmeisters übernimmt: ein Priester mit Weinflaschen, einem Karabiner in den Händen.

Dann die zwei Figuren, die zwei Frauenfiguren aus Holz oder aus blank poliertem Stein, die zuvor auf der Wohnwand WBs gestanden haben.

*Wer macht ein Angebot*

*Schaut nur diese Brüste an*

*(Lachen)*

—

Bei Flaubert: Die Versteigerung der Kleider der Madame Arnoux nach dem Bankrott ihres Mannes als grässliche »Teilung ihrer Reliquien«.

—

Vermutung: Es wird dem Arbeiter, dem Spieler, diesem kurzlebigen König ja gar nicht unterstellt, er habe sich die Figuren zum Vergnügen zugetan, sie als Objekte seiner Lust besessen und ausgestellt, denn das hieße zumindest, ihm Potenz und Souveränität zuzugestehen. Sein Verlust, der Konkurs wäre unter diesen Umständen fast bewunderns-wert: Folge seines unvernünftigen, gierigen, absichtsvollen Handelns.

Viel eher lacht man an diesem Tag über die Figuren, um zu zeigen, dass man etwas kapiert hat, von dem der Einfaltspinsel gar keine Ahnung hat. Wie ein Kind hat er sie nämlich im Wohnzimmer aufgestellt, die zwei Frauen, weil er sie schön fand und sie ihn an eine schöne Zeit erinnerten; er hat sie nie angefasst (sozusagen); er ist auf dem Sofa unter ihnen harmlos eingeschlafen.

Nicht einmal das, so die Unterstellung, hat er geschafft: Statt sie zu beherrschen, hat er sich ihnen (brüderlich) zugeneigt, sich von ihnen behüten lassen,

    also mit einem Fuß den Graben überquert.

—

– Glaubst du selbst, dass es so gewesen ist?
– Na ja.
– Sondern?
– Kompliziert, ich glaube, dass es kompliziert gewesen ist. Dass verschiedene Dinge gleichzeitig der Fall waren. Also auch, dass er das selbst nicht so genau wusste, was es jetzt auf sich hatte mit diesen Figuren und was es bedeutete, sie mit nach Hause zu schleppen, diese Frauen und die Krieger, und sie dann auf seinen Fernseher zu stellen. Und sogar wenn er da eine Nähe verspürt hätte, wenn die Plastiken ihn also nicht bloß erinnert hätten an Pauschalreisen und an die weißen Strände der Antillen, sondern an Freunde, an Verwandtschaften, wäre das ja völlig vermessen, ja lächerlich gewesen. Und zwar scheint er ja durchaus Freundschaften geschlossen zu haben, aber dann gibt es da zum Beispiel auch noch die Geschichte mit der Ziege.

– Noch eine Ziege?

– Eine junge Ziege »mit zwei schönen Hörnlein«, wie WB
sagt.

—

Bruni über das Tier, S. 109:

»Das kaufte ich dem Händler ab. 8 Dollar. Dazu liess ich
mir noch einen Strick mitgeben, damit ich es heimführen
konnte. Daheim legte ich eine alte Kokosmatte unter einen
Papaya-Baum, sammelte Gras, brachte ihm Wasser.«

—

*(Forts.)*

*Noch als er schon in der Maschine Platz genommen hat, die
ihn zurück nach Europa bringen wird, denkt X an die Ziege,
das Tier, für das er acht Dollar hingeblättert hat. Wie er sich
das denn vorgestellt habe, hatte ihn Y am vergangenen Abend
gefragt, als er auf der Veranda gesessen und ein Bier getrunken
hatte. So eine Ziege hätte ja sowieso nicht einfach mitgeführt
werden können.*

*X lässt sich Rotwein einschenken, er trinkt, ohne sich an
den Gesprächen der anderen zu beteiligen, und schaut zu, wie
die Flugbegleiterinnen die Kabine für die Nacht herrichten,
betrachtet ihr geflochtenes Haar, die hellen Zöpfe, aus denen
sich an manchen Stellen feine Strähnen lösen.*

*Warum hätte er es denn nicht kaufen sollen, das kleine Tier,
das dann so bereitwillig neben ihm hertrippelte: eine ganze,*

*lebendige Ziege für acht Dollar. Die wässrigen, wachen Augen,*
*als lachte sie ständig. Und wie lustig sie trinkt, nicht wahr*
*(schlapp, schlapp).*

*Das glucksende Lachen der Kinder.*

*Damit gerechnet hatte er nicht, auch wenn die Kollegen und Y*
*einmütig meinten, es sei nur eine Frage der Zeit gewesen: Dass*
*er einmal, abends, aus dem warmen Meer steigen, sich die*
*Gischt noch eine Weile um die Füße spülen lassen und dann,*
*noch auf dem Weg zur* Maison Y, *schon sehen würde, dass die*
*Ziege nicht mehr da war.*

*Nun, da er im Flugzeug sitzt, begleitet er sich selbst noch einmal*
*auf diesem Gang, auf der Suche nach dem Tier. Wie er diesem*
*oder jenem Pfad folgt, wie er durch die noch immer drückende*
*Hitze geht, die Knöchel und Waden mit Sand bedeckt, und*
*dort dann die geschlachtete Ziege liegen sieht. Jemand beugt*
*sich in diesem Moment über sie, legt sie auf ein Blech. Jemand*
*bereitet eine Zitronenmarinade vor. Den Kopf haben sie ihr*
*abgeschlagen.*

*X auf jenem Pfad in der Dunkelheit. Das Blut der Ziege eine*
*schwarze Lache auf dem staubigen Boden. Über ihm die*
*Kronen der Palmen jetzt unheilvoll schaukelnd. Er verschränkt*
*die Arme vor der Brust, rührt sich ansonsten nicht: Steht da*
*mit leicht zur Seite geneigtem Kopf und schaut zu, wie die Ziege*
*behandelt, wie sie zubereitet wird. Er sagt nichts, auch dann*
*nicht, als ihn die Leute entdecken und ihm zuwinken, als wäre*
*das keine große Sache, als wollten sie ihn zum gemeinsamen*

*Essen einladen. Er bleibt stehen, ohne auf ihr Gestikulieren*
*zu reagieren, bis sie sich leise murmelnd wieder dem Tier*
*zuwenden.*

—

Wie er in Wirklichkeit reagiert, WB, als er die Ziege entdeckt, das geht nicht aus seinen Erinnerungen, den Aufzeichnungen des Ghostwriters hervor.

Dort nur der Kommentar, die Leute (die Einheimischen) hätten den Dollar, den sie bei ihm pro Tag auf der Baustelle verdienten, jeweils gleich wieder verspielt bei den Hahnenkämpfen.

Das Fell der Ziege hätten sie ihm dann noch zum Kauf angeboten.

Es seien alle furchtbar arm gewesen.

—

– Das ist dein Ende der Geschichte des Lottokönigs?
– Ich weiß es nicht. Ich würde ihn gern auffahren lassen zum Schluss, ihn aufsteigen lassen ins sozusagen Himmlische, in die blaue Tropopause, ihn von dannen ziehen lassen, hinaus aus diesem Wirrwarr. Endlich das große Fahrenlassen aller Dinge, Ekstase.

—

Jetzt alles noch einmal revidieren: Zu allen Dingen ein letztes Mal zurückkehren, sie ins Licht halten, befragen.

Am Letzigraben zwei Spaziergänger, die die überreifen Kirschen von den Bäumen lesen.

Natalie an ihr Fahrrad gelehnt, wartend.

Weißt du noch, wie Peter ankam und von *Synchronicity* redete.

—

Also noch einmal über den Platz laufen, auf dem alles steht, was mir in der letzten Zeit untergekommen ist: die Landschaften, Landmarken, Bauten wie behelfsmäßig zusammengeschobene Kulissen. Dazwischen die Requisiten, Reliquien, die Zeugen, Zeuginnen geheimer Riten, Objekte des Begehrens:

Die Figuren in den Händen des Versteigerers,

die zwei Kerzen, die der Junge durch die Gärten des Sanatoriums getragen hat, das heruntergelaufene Wachs an ihrer Seite seit langer Zeit erkaltet,

eine Brotscheibe aus dem Schrank der Hungrigen,

der Twingo meiner Tante, wie er vor einem Restaurant am Bodensee stand,

ein halbes Dutzend Kutschen,

ein goldener Pfeil,

der Stock der Dirigentin,

Zucker (Felder, Berge, Würfel)

…

—

Meine Mutter sagt am Telefon (9. September), sie habe als
Kind einmal im Garten des Sanatoriums gestanden, aber
daran, eines der Gebäude betreten zu haben, erinnere sie sich
nicht. Auch nicht daran, wer sie dorthin begleitet habe.

—

Im Internet: Der Sohn der Hausbesitzerin auf Haiti verkauft
heute Wasser auf der Insel –

### *Eau* Miracle®

Eau potable de première qualité
traitée par osmose inverse

*– Moi je bois Eau Miracle, et vous?*

—

*Zwischen den steilen Wänden der zerfurchten Küste hindurch*
*steige ich zum Meer hinunter, der Schweiß läuft mir in Strömen*
*über das Gesicht. Junge Männer, die außer ihrer Badehose,*
*ihren staubigen Turnschuhen und einem um den Hals*
*gewundenen Handtuch nichts auf sich tragen, überholen mich*
*im Laufschritt. Später sehe ich sie wieder, unten am Strand: Mit*
*einigen Schritten Anlauf stürzen sie sich von den Klippen ins*
*blaue Wasser, zehn, zwanzig Meter tief. Weit draußen segeln*
*weiße Daysailer der Côte d'Azur entgegen. Stundenlang liege*
*ich mit geschlossenen Augen auf dem sandigen Boden unter*
*den Pinien, irgendwann schlafe ich ein.*

*Als die Bucht bereits zur Hälfte im Schatten liegt, steht plötzlich*
*einer der Klippenspringer neben mir. Die nasse Hose klebt an*
*seinen dünnen Beinen, sein Oberkörper ist lang und mager*
*und braungebrannt. Er habe diese Blätter eingesammelt, sagt*
*er, die mir offensichtlich im Schlaf aus der Hand gerutscht und*
*dann vom Wind verstreut worden seien. Er reicht mir einen*
*unordentlichen Stapel zerknitterter Kopien, M. F. K. Fishers*
*Protokoll der Speisen, die sie 1932 auf einer Atlantik-Passage*
*zu sich nimmt: Noch vor der Abreise, am Vieux Port von*
*Marseille, notiert sie eine Bouillabaisse, dann, an Bord des*
*kleinen italienischen Frachtschiffs, der* Feltre, *italienischen*
*Käse, Salami, Früchte. Kalbfleisch. Schwere, raue Weine.*
*Wochen später wird sie in den zentralamerikanischen Häfen*
*kühle, weiche Papayas und grüne Orangen essen, dunkelgelbe*
*Weine trinken, die Milch der Kokosnüsse wie im Rausch*
*genießen; man wird ihr Avocados reichen und kleine Schalen*
*mit gekochten Früchten.*

*Wie auf einem Gemälde der Renaissance, schreibt sie,*
*steht am Abend des Kapitänsdinners die lange Tafel auf Deck,*
*darauf Pasteten, Trauben, zwei gefüllte Fasane. Zum Schluss,*
*nachdem die Passagiere dem Schiffskoch schon applaudiert*
*haben, tritt plötzlich Stille ein. Langsam erscheinen drei*
*Küchenjungen, die umständlich etwas die Treppe hochhieven,*
*ein Ding von größter Seltsamkeit, das sich nun den Augen der*
*Passagiere schaukelnd darbietet: eine Kopie der Kathedrale*
*von Mailand, ganz aus Zucker gesponnen; das verstaubte und*
*vielfach reparierte Meisterwerk des Schiffskochs.*

*Nur die Deutschen, sagt der Klippenspringer, kämen hierher,*
*um zu lesen. Ich schaue ihm zu, wie er seine sandigen Füße in*
*die Turnschuhe zwängt, ohne die Schnürsenkel zu öffnen oder*
*die Hände zu benutzen. Die kämen mit großen Rucksäcken,*
*die Deutschen, und kochten Dinge auf ihren Gaskochern.*
*Würste. Dass ich nur diesen mickrigen Beutel und diese Blätter*
*dabeihätte, sei untypisch. Der Klippenspringer lacht. Er ver-*
*wendet die Höflichkeitsform, wenn er mich anspricht.*

*Sprechen Sie Deutsch?*

*Vous faites quoi, ici?*

*Ich hätte mit der Arbeit an einer Sache aufhören wollen, aber*
*nicht gewusst, wie, sage ich. Es sei mir einfacher erschienen,*
*einfach wegzufahren. Der Klippenspringer nickt mit*
*zusammengezogenen Augenbrauen: Sie sind gegangen, ohne*
*Ihre Stelle zu kündigen. Im weitesten Sinn, ja. So ungefähr.*

*Er lacht zufrieden und hängt sein Handtuch zum Trocknen ins*
*Gebüsch.*

*Letzte Nacht, als er völlig plemplem nach Hause gekommen*
*sei, habe er einige Meter vor seinem Haus, bei einer kleinen*
*Wiese, die Polizei stehen gesehen. Die Nachbarn stellten dort*
*oft ihren Krempel ab, kaputte Staubsauger, kaputte Kinder-*
*wagen, CD-Türme, so was, und meist seien die Dinge dann*
*am nächsten Tag weg. Als er aber letzte Nacht bei der Wiese*
*angekommen sei, habe er gesehen, dass da jemand sein kom-*
*plettes Mobiliar rausgestellt habe, also das ganze Zeug, a l l e s ,*

*was sich so in einer Wohnung befinde. Und die Polizisten seien*
*mit ihren Taschenlampen zwischen den Wohnwänden und den*
*Polstermöbeln umhergegangen, und in den Regalen der Möbel*
*hätten noch Dinge gestanden: Nippes, hässliche Schalen. Er*
*habe sein Mofa abgestellt, um sich diese Szenerie auch genauer*
*anzuschauen, und zu dritt seien sie in dieser Geisterwohnung*
*herumgetappt,* c'était chelou.

*Der Klippenspringer schlägt sich mit der rechten Hand auf*
*seine schmale, braune Brust, als ermahnte er sich, nicht länger*
*hier rumzustehen. Dann lässt er seinen Blick über die Bucht*
*schweifen, und als er einen Kollegen entdeckt, der seit einer*
*Weile schon unentschlossen den Rand einer Klippe abschreitet,*
*bricht er in lautes Geheul aus, hüpft von einem Bein aufs andere*
*und wirft seine Arme in die Luft, als stellte er ein Tier dar, als*
*imitierte er einen läppischen Vogel mit zu großen Schwingen.*

*Spring, du faules Ei.*

*Dann dreht er sich abrupt wieder zu mir um. Und hier gefällt*
*es Ihnen also, in diesem Gestrüpp, fragt er, ja? Er weist mit dem*
*Turnschuh auf das trockene Gebüsch. Was soll ich dazu sagen.*
*Ob es Ihnen gefällt, das Gestrüpp, das können Sie doch sagen.*
*Mit ausdruckslosen Augen schaut er mich an, wartet auf eine*
*Antwort. Bricht die Ästchen der Sträucher zwischen seinen*
*Fingern. Draußen vor der Bucht zieht ein Motorboot einen*
*Wasserskifahrer in immer engeren Kreisen über das Meer.*
*Ich zeige auf einen Riss in meiner Hose. Auf dem Weg hierher*
*sei ich an einem Strauch hängengeblieben. Er zuckt mit den*
*Schultern: Kann passieren.*

*Weit über unseren Köpfen im steilen Hang die Freunde des Klippenspringers, die in die Stadt zurückkehren. Zwei, drei Mal halten sie kurz inne und winken ihm zu. Er zieht das Handtuch aus dem Gebüsch und legt es sich um den Hals. Also, sagt er dann, ungeduldig, als hätte man ihn gegen seinen Willen dazu verpflichtet, sich um diese blasse Frau und ihre Papiere zu kümmern. Finden Sie alleine wieder zurück? Einfach hoch, immer weiter hoch, und dann, an der höchsten Stelle, links in den Wald hinein, sage ich. Der Klippenspringer wiegt den Kopf skeptisch hin und her. Nicht ganz. Aber irgendwie werden Sie schon wieder rausfinden, sagt er und geht davon.*

*Viel Glück.*

*Ich sehe ihm nach, wie er sich auf dem hellen, staubigen Pfad vom Meer entfernt. Mit rudernden Armen steigt er steil aufwärts der gleißenden Sonne entgegen.*

# Quellen

Wo nicht anders vermerkt, entstammen die Zitate von und über Ellen West Ludwig Binswangers Fallstudie *Der Fall Ellen West. Eine anthropologisch-klinische Studie* (*Schweizer Archiv für Neurologie und Psychiatrie*, Band LIII, LIV und LV, Zürich 1944/45).

Heinrich von Kleists *Die Verlobung in St. Domingo* wird zitiert nach der durchgesehenen Ausgabe von 2002 (Stuttgart).

Die Passagen zu Teresa von Ávila stützen sich auf die von Ulrich Dobhan und Elisabeth Peeters herausgegebene Übertragung ihres *Libro de la vida: Das Buch meines Lebens* (*Gesammelte Werke*, Band 1, Freiburg i. Br. 2001). Abgesehen von ausgewiesenen Ausnahmen sind alle Zitate von und zu Teresa von Ávila dieser Ausgabe entnommen.

Die Geschichte des Lottogewinners Werner Bruni wird erzählt in Brunis *Lottokönig: Einmal Millionär und zurück* (Rewriting: Markus Maeder, Gockhausen 2010) und den Dokumentarfilmen *Gegenspieler – Die furchtbare plötzliche Freiheit* (1980) und *Der König und sein Chef* (1987) von Christoph Müller. Sie dienen dem Buch als wichtige Quellen.

14 *Hunger was … the chaos.* John Berryman: The Dream Songs. New York 1991, S. 333.

14 *Drang … Verliebtheit usw.* José Ortega y Gasset: Über die Liebe. Meditationen. Stuttgart 1933, S. 157.

18 *gleich einer … wasserreichen Flusse* Christian Heinrich Spieß: Biographien der Wahnsinnigen. Darmstadt 1976, S. 241.

18 *Er hat … mich auf!* Ebd., S. 269.

22 *mit zwei … zu lassen.* Marie Luise Kaschnitz: Orte. Aufzeichnungen. Frankfurt am Main 1975, S. 64.

22 *als wolle … nicht was.* Hermann Burger: Die allmähliche Verfertigung der Idee beim Schreiben. Frankfurter Poetik-Vorlesung. Frankfurt am Main 1986, S. 72.

23 *Oder Orte … alle vorbei.* Kaschnitz, Orte, S. 8.

24 *Ich werde … und geweint.* Waslaw Nijinsky: Tagebücher. Frankfurt am Main 1998, S. 46 f.

25 *die Irrenwärter … wie Hebammen* Joseph Roth: Radetzkymarsch. Köln 1978, S. 217.

25  *verwöhnte Irrsinnige … reichen Häusern* Roth, Radetzkymarsch, S. 217.

26  *Und rasch … im Raumschiff.* In: Dagmar von Gersdorff: Marie Luise Kaschnitz. Eine Biographie. Frankfurt am Main 1992, S. 9.

27  *Von Zeit … etwas essen.* In: Naamah Akavia und Albrecht Hirschmüller (Hg.): Ellen West. Gedichte, Prosatexte, Tagebücher, Krankengeschichte. Kröning 2007, S. 56.

30  *The night … happened next.* Deborah Levy: Things I don't want to know. London 2014, S. 25.

31  *ein schreckliches … eines Gespinstes* Marie Luise Kaschnitz: Das dicke Kind. In: Lange Schatten. Hamburg 1960, S. 112.

40  *Wenn ich … versinken drohe.* In: Akavia/Hirschmüller, Ellen West, S. 67.

41  *gegessen und getrunken* Pierre Bourdieu: Die männliche Herrschaft. Frankfurt am Main 2013, S. 26.

43  *Es ist … vorkommen muss.* In: Akavia/Hirschmüller, Ellen West, S. 33.

44  *Oh, that … a boy* In: Ebd., S. 15.

46  *um mindestens … zu klein* Thomas Bernhard: Meine Preise. Frankfurt am Main 2009, S. 18.

49  *Sie saß … staubigem Kretonne.* James Joyce: Dubliner. Frankfurt am Main 1969, S. 35.

51  *Ich habe … vom Wasser?* In: Akavia/Hirschmüller, Ellen West, S. 61.

51  *And it … in motion …* D. H. Lawrence: Lady Chatterley's Lover. London 2010, S. 172.

52  *mit Kuppeln … weißem Marmor* Gustave Flaubert: Madame Bovary. München 2018, S. 257.

52  *hohe Sierras … hellem Gras* Ursula K. Le Guin: A Left-Handed Commencement Address, Mills College 1983. https://www.ursula kleguin.com/lefthand-mills-college; 4.3.2020 [Übersetzung der Autorin].

55  *Seitdem laß … abgeführt wird.* Herbert Achternbusch: Die Stunde des Todes. Frankfurt am Main 1975, S. 20.

56  *Ei schafaliers … munt warf.* Konrad von Würzburg (?): Die halbe Birne. In: Klaus Grubmüller (Hg.): Novellistik des Mittelalters. Märendichtung. Frankfurt am Main 1996, S. 202.

59  *Staubsüden, Betonsüden … Fiktion Süden* Rolf Dieter Brinkmann: Im Voyageurs Apt. 311 East 31st Street, Austin. In: Westwärts 1 & 2. Gedichte. Reinbek bei Hamburg 1975, S. 79.

61  *Mr. Williams … es nicht.* In: The Trial of Edward Gibbon Wakefield,

William Wakefield, and Frances Wakefield [...]. London 1827, S. 47 f.
[Übersetzung der Autorin].

**64** *die verhüllte ... neuen Welt* Karl Marx: Das Kapital, Band 1. In: Karl
Marx/Friedrich Engels: Werke, Band 23. Berlin 1970, S. 787.

**69** *eine Abstellkammer ... dritten Person* Peter Kurzeck: Übers Eis. Frankfurt am Main 2011, S. 8.

**70** *ungesündesten Strich ... der Bretagne* Freiligrath an Marx. Köln, 29/7.
49. In: Freiligraths Briefwechsel mit Marx und Engels, bearb. von
Manfred Häckel; hg. von der Deutschen Akademie der Wissenschaften
zu Berlin. Berlin 1968, S. 6.

**72** *Ah, genauso ... Barbarei aus* Flora Tristan: Im Dickicht von London
oder Die Aristokratie und die Proletarier Englands. Köln 1993, S. 88.

**73** *his original ... his plunder.* Edward Gibbon Wakefield: Facts Relating to
the Punishment of Death in the Metropolis. London 1831, S. 22.

**77** *Unglücklicher Herr ... Swan River!* Marx, Kapital, S. 794.

**79** *Ich werde ... ist es.* The Trial of Edward Gibbon Wakefield [...], S. 48
[Übersetzung der Autorin].

**82** *Mr. Carr ... dunkles Grün.* Ebd., S. 81 [Übersetzung der Autorin].

**82** *Ist Miss ... ihres Papas.* Ebd., S. 56 [Übersetzung der Autorin].

**84** *Hyper U ... nicht Zucker!* Wolfram Lotz: Heilige Schrift I. Unveröffent-
licht.

**90** *Festlegung der ... Koordinaten überhaupt* Maurice Merleau-Ponty:
Phänomenologie der Wahrnehmung. Berlin 1965, S. 125.

**91** *Ding wie ... angeschaut wird* Iris Marion Young: Werfen wie ein
Mädchen: Eine Phänomenologie weiblichen Körperverhaltens,
weiblicher Motilität und Räumlichkeit. In: Deutsche Zeitschrift für
Philosophie 41 (1993), S. 707–725, hier: S. 718.

**95** *unbefangenes Wesen ... Schicklichkeit erlaubt* Michel de Montaigne:
Essais. Zürich 2000, S. 51.

**99** *unökonomischen Zugriffen* Susan Buck-Morss: Hegel und Haiti. Berlin
2011, S. 118.

**101** *eine Verschiebung ... seiner Kusine* Ebd.

**101** *And I ... in America?* Zit. nach: Sven Beckert: Empire of Cotton.
A New History of Global Capitalism. London 2015, S. 82.

**103** David Geggus: Toussaint Louverture and the Slaves of the Bréda
Plantations. In: Judy Bieber (Hg.): Plantation Societies in the Era of
European Expansion. Aldershot 1997, S. 266–284, hier: S. 275.

**104** *Prologue ... to Haiti.* C. L. R. James: The Black Jacobins. Toussaint
L'Ouverture and the San Domingo Revolution. New York 1989, S. 3.

**104** *affreuses campagnes … Art Horror* Justin Girod-Chantrans: Voyage d'un Suisse dans différentes colonies d'Amérique pendant la dernière guerre. Neuchâtel 1785, S. 138 [Übersetzung der Autorin].

**105** *Prenons le … figure change.* Ebd., S. 332.

**105** *Eu como tudo.* Hubert Fichte: Eine glückliche Liebe. Frankfurt am Main 1988, S. 23.

**109** *gleich der … von Schlaf* Maurice Merleau-Ponty, Phänomenologie, S. 126.

**110** *der nichtperspektive … nirgendwoher gesehen* Ebd., S. 91.

**111** *Body my … I hunt* May Swenson: Question. In: Poems to Solve. New York 1966.

**111** *Etwas Matsch. Betoniertes.* Hubert Fichte: Die zweite Schuld. Frankfurt am Main 2006, S. 9.

**111** *und auf … essen würden.* Bericht des Wirts »Zum Stimming«. Nach E. v. Bülow. In: C. F. Reinhold: Heinrich von Kleist. Berlin 1919, S. 258.

**116** *Je ne … les cultiver.* Henri Bernardin de Saint-Pierre: Voyage à l'Isle de France, à l'Isle de Bourbon, au Cap de Bonne-Espérance, etc. avec des observations nouvelles sur la nature et sur les hommes. Tome premier. Amsterdam 1773, S. 201.

**116** *Du bist … bist zart* Tocotronic: Zucker. Das rote Album. Berlin 2015.

**120** *einundzwanzig Tage … und Himmel* Romola Nijinsky: Nijinsky. Der Gott des Tanzes. Biographie. Frankfurt am Main 1974, S. 211.

**121** *Jedenfalls hat … Eindruck hinterlassen.* Max Müller: Erinnerungen. Erlebte Psychiatriegeschichte 1920–1960. Berlin 1982, S. 178.

**130** *Gibraltar hatten … gewinne nie.* Marie Luise Kaschnitz: Tagebücher aus den Jahren 1936–1966, Band 2. Frankfurt am Main 2000, S. 818 f.

**141** *einzige Uhrenmanufaktur* Marx, Kapital, S. 363.

**142** *Je vivais … future douleur* Annie Ernaux: Passion simple. Paris 2018, S. 45.

**143** *Weißt du … sagte er.* Hanna Johansen: Trocadero. München 1980, S. 164 f.

**147** *Er weiß … 11.5.1974* Max Frisch: Montauk. Frankfurt am Main 1981, S. 9.

**147** Samson Occom: Account of the Montauk Indians, on Long Island (1761). In: Joanna Brooks (Hg.): The Collected Writings of Samson Occom, Mohegan. Leadership and Literature in Eighteenth-Century Native America. New York 2006, S. 49.

**152** *Manchmal rennten … stets unverletzt.* Ebd., S. 49 [Übersetzung der Autorin].

154 *The trail … the palefaces.* Olivia Ward Bush-Banks: Indian Trails: or,
    Trail of the Montauk. In: Bernice F. Guillaume (Hg.): The Collected
    Works of Olivia Ward Bush-Banks. New York 1991, S. 190.

156 *Einmal eine … Menschen hier.* Frisch, Montauk, S. 52.

156 *There is … many years.* Pharaoh v. Benson Ruling, Oktober 1910.
    http://www.montaukwarrior.info/?page_id=13; 21.6.2019.

158 *and when … Whole World* Samson Occom: The Most Remarkable and
    Strange State Situation and Appearence of Indian Tribes in this Great
    Continent. In: Brooks, Collected Writings, S. 58.

159 *[S]ie träumen … Kutsche stattfindet* Tristan, Dickicht, S. 179.

159 *flammende Gestalt … merkwürdiger Phantastik* Walter Nigg: Teresa
    von Avila. Eine leidenschaftliche Seele. Zürich 1996, S. 5 f. und 13.

161 *schimmernde Edelsteine … geschnitzte Reliquienschreine* Ebd., S. 22 f.

162 *Tendenzen, die … Nichtige zogen* Ebd., S. 23.

173 *Balzac, wenn … César Birotteau!* Ortega y Gasset, Über die Liebe, S. 137.

176 *Spukhafter Eindruck … den Fingern.* Max Frisch: Typoskript, ohne
    Titel [Amerika, 1951]. Max Frisch-Archiv.

179 *wie ein … riesigem Längenmaß* Gerhard Meier: Toteninsel. Basel 2008,
    S. 26.

181 *One will … done so.* Michel-Rolph Trouillot: Silencing the Past. Power
    and the Production of History. Boston 2015, S. 82.

191 *Je considérais … de Dieu* Flora Tristan: Pérégrinations d'une paria
    (1833–1834). Paris 1838, S. 46.

191 *J'avais … froids, calculateurs* Ebd., S. 47.

193 *Sie sagen … und verschwindet.* Zit. nach: Claudia von Alemann,
    Dominique Jallamion, Bettina Schäfer (Hg.): Das nächste Jahrhundert
    wird uns gehören. Frauen und Utopie 1830–1840. Frankfurt am Main
    1981, S. 241–243.

194 *die Lust … Poren tritt* Tristan, Pérégrinations, S. 65 f. [Übersetzung der
    Autorin].

196 *Il est … la cuisine* Paul Gauguin: Oviri. Écrits d'un sauvage. Paris 1974,
    S. 270.

197 *Toussaint-Louverture est … un domestique.* Alfred Nemours: Histoire
    de la captivité et de la mort de Toussaint-Louverture: notre pèlerinage
    au fort de Joux. Paris 1929, S. 14.

200 *il me … de sucre* Ebd., S. 195.

202 *Die Reise … nach Paris.* Heinrich von Kleist: Briefe. In: Sämtliche
    Werke. Brandenburger Ausgabe, Band IV/2, hg. von Peter Staengle.
    Basel 1999, S. 464 ff.

203  *Nichts kann … zu wehen.* Kleist, Briefe, S. 480 ff.

203  *in welchem … gestorben war* Ebd., S. 483.

203  *ein Mensch … zu zeugen* Ebd., S. 119.

203  *recht eingeschlossen … der Stadt* Ebd., S. 206.

204  *Verwendung von … dem Meere* Fernando Bernoulli: Die helvetischen Halbbrigaden im Dienste Frankreichs 1798–1805. Frauenfeld 1934, S. 94.

204  *auctioned off* Philippe R. Girard: The Slaves Who Defeated Napoleon. Toussaint Louverture and the Haitian War of Independence, 1801–1804. Tuscaloosa 2011, S. 279.

205  *Wofür wurde … Schuhe an.* Werner Bruni: Lottokönig. Einmal Millionär und zurück. Gockhausen 2010, S. 117.

208  *die Fünfzehner-Weggli … für mich.* Ebd., S. 17.

215  *Ich war … nicht vorgestellt.* Ebd., S. 82.

216  *seinem Verlierer-Schicksal … Glück gehabt.* Thomas Hüetlin: Hier ist Totentanz. In: Der Spiegel 52/1996.

217  *FOCUS: Haben … wir waren.* Jens Nordlohne: Einmal im Leben … In: FOCUS Magazin, 29/1995.

228  *die Fysse … bisher geschlafen* Johann Jakob Bodmer: Inkel und Yariko. Zürich 1756.

253  *einen N----* Bruni, Lottokönig, S. 114.

255  *Teilung ihrer Reliquien* Gustave Flaubert: Die Erziehung des Herzens. Zürich 1979, S. 556.

**Dorothee Elmiger**, geboren 1985, lebt und arbeitet in Zürich. 2010 erschien ihr Debütroman *Einladung an die Waghalsigen*, 2014 folgte der Roman *Schlafgänger*. Ihre Texte wurden in verschiedene Sprachen übersetzt und für die Bühne adaptiert. Für ihre Arbeit wurde Dorothee Elmiger vielfach ausgezeichnet, u. a. mit dem Aspekte-Literaturpreis für das beste deutschsprachige Prosadebüt, dem Rauriser Literaturpreis und dem Erich Fried-Preis.